ADREF O UFFERN

Adref o Uffern

Garffild Lloyd Lewis

Gol. Lyn Ebenezer

Argraffiad cyntaf: 2016

Cyhoeddir gan Wasg Carreg Gwalch,
12 Iard yr Orsaf, Llanrwst, Conwy, LL26 0EH.
Ffôn: 01492 642031 Ffacs: 01492 641502
e-bost: llyfrau@carreg-gwalch.com
lle ar y we: www.carreg-gwalch.com

Rhif rhyngwladol: 978–1-84527-540-2

Mae'r cyhoeddwr yn cydnabod cefnogaeth ariannol
Cyngor Llyfrau Cymru

Cynllun clawr: Eleri Owen

Cyflwynedig er cof am Yncl Ellis,
un o'r degau o filoedd a ddychwelodd o'r
Rhyfel Mawr yn fyw ond wedi eu creithio am byth.
Fe gafodd ddweud ei stori ... yn ôl o uffern

A gweddnewidiwyd ef ger eu bron hwy ...

Mathew 17:2

Dyma y llecyn brafia a chynhesaf yn y fro, cysgod ar wynt oer y gorllewin. Ac ni wyddech ddim am dywydd a stormydd ond sŵn y gwynt yng nghoed y Glasfryn.

Ellis Williams yn blentyn yn y Traws, haf 1904

Dyma y lle mwyaf dychrynllyd a welwyd erioed, mi gredaf. Ni fuasech â syniad am y fath le. Roedd miloedd wedi marw, rhai yn hongian o'r brigau, eraill yn penlinio. Clywais fechgyn eraill yn griddfan a doedd fawr o obaith am help. Dyma ddydd bythgofiadwy i lawer.

Ellis Williams yn filwr yng Nghoed Mametz, haf 1916

Diolch

Diolch i Nansi Lloyd Lewis, Dilys Thomas, Keith O'Brien, Dwyryd Williams, Huw Chiswell o Gwmni Teledu Ffranc ac Amgueddfa'r Gaiman, Patagonia.

Cynnwys

Rhagair

Ar gofgolofn ryfel Trawsfynydd enwir ymron dri dwsin o laddedigion y fro. Yr enw enwocaf, wrth gwrs, yw un Ellis Humphrey Evans neu Hedd Wyn, 'y bardd trwm' a mab yr Ysgwrn a laddwyd ym Mrwydr Cefn Pilckem ar y 13eg o Orffennaf 1917 ac sy'n gorwedd 'dan bridd tramor' Artillery Wood ger Boezinge yng Ngwlad Belg.

Enw cyn-filwr na welir ar gofeb ryfel y Traws yw un Ellis Williams. Y rheswm dros absenoldeb ei enw yw i Ellis lwyddo i ddod adref yn fyw, os nad yn groeniach. Ond nid yr un oedd y gwas fferm a ymunodd â'r Ffiwsilwyr Cymreig ym mis Mehefin 1915 a'r Ellis Williams a ddychwelodd adref dair blynedd yn ddiweddarach. Yn dilyn anaf difrifol i'w wyneb derbyniodd lawdriniaeth arloesol, a hynny i'r fath raddau fel na fedrodd ei dad ei hun ei adnabod.

Roedd Ellis ymhlith y dwsin cyntaf i'w trin am anafiadau wynebol yn Ffrainc adeg y Rhyfel Mawr ac ar ôl y rhyfel. Ddeunaw gwaith o fewn ugain mis bu o dan sgalpel y llawfeddyg. Y gŵr a fu'n gyfrifol am y driniaeth chwyldroadol ar wyneb Ellis mewn ysbyty yn Boulogne, triniaeth a olygodd ailadeiladu rhan helaeth o'i wyneb, oedd y chwedlonol a'r ecsentrig Auguste Valadier, arbenigwr deintyddol a llawfeddyg wynebol a gludai gadair deintydd gydag ef i bobman yn ei Rolls Royce moethus.

Clwyfwyd Ellis ym mrwydr Coed Mametz ar ddechrau mis Gorffennaf 1916 ar anterth Brwydr y Somme. Yn y gyflafan waedlyd honno yn y goedwig, lladdwyd neu anafwyd dros 4,000 o filwyr o fewn un wythnos, y mwyafrif mawr ohonynt yn Gymry. Trawodd shrapnel Ellis yn ei foch gan rwygo'i drwyn oddi ar ei wyneb a chwalu ei wefus uchaf. Pan ganfuwyd ef yn gorwedd ar faes y gad, tybid fod ei dranc yn anochel a gadawyd ef yno i ddisgwyl y diwedd.

Ymhen hir a hwyr cludwyd ef oddi yno i ysbyty yn Boulogne, ac yn dilyn y llawfeddygaeth arloesol cafodd ddychwelyd adref cyn gorfod ateb galwad i ailymuno â'r fyddin a'i anfon i gadw'r heddwch yng Ngogledd Iwerddon. Pan fu farw yn 1967 yn 71 oed, tybiwyd mai dyna fyddai diwedd ei stori. Ond na, yn dilyn marwolaeth ei weddw flynyddoedd wedyn, canfuwyd ymhlith eiddo Ellis gofnodion o'i fywyd wedi eu croniclo yn ei lawysgrifen ei hun ar 110 o dudalennau llinellog mewn llyfr copi glas clawr caled. Mae ei lawysgrifen yn gymen a'i arddull yn hynod eglur a darllenadwy. Y rhyfeddod mwyaf, hwyrach, yw iddo – wrth ail-greu'r darlun ar gynfas eang – gynnwys hefyd fanylion a manion sy'n ychwanegu lliw ac awyrgylch i'w atgofion.

Dylid nodi i ddyfyniadau Ellis gael eu cofnodi yma yn driw i arddull ac orgraff yr awdur yn y llyfr copi heb eu cymhwyso ond lle nodir hynny.

Ceir ei hanes o'i blentyndod hyd at ei briodas yn 1925, ychydig ar ôl marwolaeth ei dad. Ym mis Awst 2014 bu ei hanes yn destun rhaglen ddogfen, *Dyddiadur Ellis Williams: Y Claf Cyntaf* ar S4C, sydd wedi ei seilio ar ei gofnodion ac ar atgofion aelodau o'i deulu a chydnabod.

Cyfeirir yn aml at atgofion rhyfel awduron enwog fel Robert Graves, Sigfried Sassoon, Wilfred Owen a David Jones, a fu eu hunain yn brwydro yng Nghoed Mametz. Ni chafodd Ellis fanteision addysgol yr awduron hynny ond mae ei atgofion ef lawn mor ysgytwol a dirdynnol. Yn wir, canfyddir yn ei arddull ddawn ddisgrifiadol llenor. Ac er gwaethaf ei brofiadau arswydus a thrawmatig, nid yw ei stori'n brin o hiwmor.

Yn ogystal â phrofi gweddnewidiad llythrennol, profodd

Ellis hefyd weddnewidiad o fath arall. Mae'r atgofion cynnar yn darlunio bywyd braf mewn bro ddigwmwl a diofalon ar aelwyd a fagodd ddwsin o blant. Cawn wrthgyferbyniad llwyr wrth iddo wynebu uffern Coed Mametz. Yna cawn ef yn dychwelyd i'r Traws at ffordd o fyw oedd wedi newid am byth. Ond ni cheir ganddo'r un arlliw o chwerwder er y gallai, petai ffawd wedi bod yn wahanol, fod wedi osgoi'r rhyfel yn llwyr drwy ymuno â thri brawd hŷn a ymfudodd i Batagonia i chwilio am fywyd gwell.

Mae hon yn stori anhygoel am lanc syml o'r wlad a fentrodd o'i wirfodd i danchwa'r Rhyfel Mawr, a orchfygodd anaf difrifol a dod adref yn ddieithryn mewn mwy nag un ystyr. Ac oni bai iddo groniclo'r cyfan yn y dirgel, ac i'r cronicl hwnnw gael ei ddiogelu a dod i'r golwg flynyddoedd yn ddiweddarach, fyddai neb yn gwybod fawr ddim am y stori honno.

Credir i Ellis Williams fynd ati i gofnodi ei atgofion dros gyfnod cymharol fyr. Dros y blynyddoedd bydd llawysgrifen pawb yn newid. Ond ni welir fawr ddim newid yn ffurf llawysgrifen Ellis o'r dechrau i'r diwedd. Credir iddo fynd ati i osod y cyfan ar bapur rywbryd yn ystod dechrau'r chwe degau. Ar y pryd roedd yn gwella'n dilyn llawdriniaeth a olygodd dorri i ffwrdd un o'i goesau, canlyniad hir-dymor i'w ddioddefaint ar faes y gad hanner canrif ynghynt.

Dyma felly stori Ellis Williams wedi ei seilio'n bennaf ar ei atgofion ei hun, ar argraffiadau aelodau o'i deulu sy'n dal i'w gofio, ac ar dystiolaeth cofnodwyr a fu eu hunain yn uffern Mametz ynghyd â haneswyr diweddarach. Mae hi'n stori ryfeddol, yn wir yn stori ddyrchafol, am ddyn cyffredin anghyffredin o'r Traws a weddnewidiwyd yn llythrennol. Braint fu cael cydweithio ar y gyfrol ysgytwol hon.

Lyn Ebenezer

Adran Un

Mab y bwthyn

Atgofion Ellis

1

Dewisodd Ellis Williams 'Adgofion o Ddigwyddiadau ar Daith Bywyd', yn deitl i'w gronicl, teitl twyllodrus o gyffredin. Yn wir, mae'n dechrau'n ddigon digyffro gyda'i hanes yn blentyn ar aelwyd Ty'n-y-pistyll ym mhentref Trawsfynydd, 'llecyn brafia a chynhesaf y fro' lle mai'r unig stormydd oedd 'y gwynt yng nghoed y Glasfryn'.

Mae'n agor gyda'i atgof clir cyntaf. Mae'n wyth oed ac mae hi'n adeg gwyliau haf yr ysgol, a'i fam, Ellen yn glaf. Disgrifia garedigrwydd cymdogion a ddeuai i dendio'i fam, a eisteddai 'wrth ochr y tân a'i hwyneb dipyn yn llwydaidd'. Yna dealla mai newydd eni plentyn yr oedd hi, sef chwaer fach, 'a'r teulu wedi cynyddu'. Nid yw'n enwi'r plentyn ond mae'n rhaid mai Mary oedd hi. Bu farw honno'n saith wythnos oed, er na chawn wybod hynny gan Ellis. Aiff ymlaen:

Yr oedd caredigrwydd y cymdogion wrth weini ar fy mam yn gymorth difesur i nhad. Yr oedd yn gallu mynd i'r gwaith yn lle colli. Buasai colli diwrnod yn golygu llawer yr adeg honno am fod y cyflogau mor fach. Nid oedd cyflog chwarel yn uchel, yn enwedig i gadw teulu mawr. Roeddwn yn methu'n glir â deall ac yn rhyfeddu at un, yn enwedig, yn gwneud unrhyw beth a chanddo ond un fraich.

Aiff Ellis ati i enwi nifer o gymdogion cymwynasgar fel Robert Roberts y crydd a'i wraig Ann, Gwen Jones, gwraig i chwarelwr, a Mrs Cadwaladr Jones ac Elen Davies. Yna aiff ati i gymharu'r hen gymdogaeth dda â'r dirywiad yn yr oes oedd ohoni, ochr yn ochr â'r gwelliant mewn safonau byw:

Pan yn cymharu bywyd yr oes heddiw fel cymdogion, byd y mynd ydyw heddiw, a phawb â digon, heb [fod] *mewn eisiau nag yn galed arnynt. Byd wedi cyfnewid cymaint, ac yn y cyfnewid yna wedi colli cydymdeimlad a charedigrwydd, a ddim yn gwybod y teimlad o eisiau a chydgario baich. Dim amser i beth felly. Doedd dim sôn am nyrs i fynd i'w nôl, dim ond rhedeg at un o'r gwragedd parod yma. A'r hen Ddoctor Humphrey. Yr oedd y merched cystal 'midwives' ag oedd eu heisiau yn unman. Gallaswn ddweud llawer mwy, ond diolch fod y byd wedi newid, a hynny er gwell mewn llawer modd.*

Aiff ati wedyn i ddisgrifio'r pleser a gâi wrth 'chwalu stodiau' gyda gwas y Glasfryn yn y cae gwair. Hynny yw, ysgwyd yr ystodiau gwair er mwyn ei sychu. Mae'n disgrifio'r perchennog, Mrs Jarrett, fel un awdurdodol, un a oedd yn denu parchedig ofn oddi wrth blant ac oedolion fel ei gilydd. Mae'n ei chanmol yn ogystal am yr arlwy a gâi ef a'r gwas i swper ar ôl bod wrth y gwair:

Yno yn y cefn byddai crochan mawr trithroed ar ganol y bwrdd â'i lond o uwd reis, hwnnw wedi ei wneud drwy lefrith da. Yr oedd gystal â phwdin. Llond jwg o laeth enwyn; llond un arall o lefrith. Pawb i gymryd ei ddewis, hwyrach. Ambell waith gwelais gymaint â phedwar, a'r gwas. Nid oedd rhaid i neb ofyn oedd o'n dda. Roedd yr olwg arnom yn bwyta yn ddigon ... Yna fe ofynnai [Mrs Jarrett] *a gymerem gwpanaid o de. Anaml iawn y byddem yn cymeryd am ein bod wedi bwyta llond dwy fowlen a bron yn methu chwythu. Ac allan â ni fel ceffylau.*

Ar fferm y Glasfryn cawn wybod y cedwid chwech o wartheg ynghyd â cheffyl du, y ceffyl hwnnw'n 'ferlyn cryf a gweithiwr da'. Dyma'r enghraifft gyntaf o amryw o gyfeiriadau yn y cofnodion at hoffter Ellis o geffylau. Aiff ymlaen i sôn am un o helyntion y merlyn du:

Byddai hefyd yn cario'r pregethwr ar y Sul i Gwm Prysor i Eden yn y prynhawn. Byddwn yn edmygu'r merlyn gan deimlo nad oedd un gystal ag ef yn unman. Clywais ddweud fod Dei Ffrancis, y gwas, wedi taflu pregethwr o'r car ryw Sul. Gyrru yn

Y teulu tua 1898 – William Williams ac Ellen ei wraig gyda Willie ar y dde, Evan Robert ac Owen yn y canol. Mae John Henry yng nghôl ei fam ac Ellis ym mreichiau ei dad. Y ferch yw Gwen (Winifred).

> *o arw yr oedd y Sul yma a thro go sydyn ger y bont. Fe drodd mor sydyn fel na chafodd y pregethwr druan gyfle i ddal ei afael pan gafodd ei hyrddio o'r car a thros y canllaw i'r afon. Bûm lawer tro yn ceisio cael Dei i ddweud sut y digwyddodd hynny ond nid oedd am ddweud rhyw lawer. Tebyg oedd, fel y deallom wedyn, fod Dei wedi cael ei dormentio gan lawer am yr amgylchiad hwn ac felly nid oedd am sôn llawer amdano wrth neb.*

Cawn ganddo wedyn hanes y 'twyswrs', sef bechgyn ifanc, amryw yn dal yn yr ysgol. Y rhain fyddai'n arwain y ceffylau gwedd a lusgai'r llwythi gwair. Ni all guddio'i eiddigedd ohonynt a'i flys i fod yn eu plith, llanciau fel Owen ei frawd hŷn, a gyflogid yn y Gors:

> *Daeth yn ddydd Sadwrn, diwrnod i'r twyswrs ddod adref, fel y byddai arferiad y bechgyn hynaf, yn cyflogi fel twyswrs am y cynhaeaf. Byddent yn cael rhyw chwe cheiniog i fyny i naw ceiniog y dydd a'u bwyd, ac yr oedd hynny'n llawer o help i'r rhieni. Dyma Owen, fy mrawd adre yn edrych yn ddyn i gyd a llond tun o lefrith a printiau o fenyn ffres yn nofio ynddo. Dyma Ellis* [ef ei hun] *yn dechrau ei holi ac yn dweud am y Glasfryn a faint o gareidiau o wair yr oeddent wedi ei gael bob dydd. Yna, a Mam yn gwrando, dyma Owen yn dechrau chwerthin a dweud na wydden ni ddim amdani. Doedd ganddon ni ddim ond un ceffyl a dau gar gwair. Dywedodd fod ganddynt hwy ddau geffyl a thri car gwair, ac yntau yn eu twyso o'r cae i'r gadlas. Ac yn cael mynd ar eu cefnau yn ôl i'r cae a'u newid, cymeryd y ceffyl oedd â charted o wair yn y cae, ac felly am rhyw ddwy neu dair awr bob dydd, os byddai'n ddigon braf i gario.*

Aeth Owen ati i ddisgrifio'i fywyd fel gwas bach ar dyddyn Robert Williams ac roedd 'yn canmol ei le', ac Ellis 'yn gwrando â'i geg yn agored rhag colli dim'. A'r ddau yn y gwely'r noson honno, parhau wnaeth yr holi a'r ateb gydol nos Sul, bron iawn. Methai Ellis gysgu wrth ddychmygu'r profiad o gael mynd gyda'i frawd i weld y Gors, ble bynnag oedd y lle hwnnw. Safai'r Gors, yn ôl disgrifiad Owen, tua thair milltir i fyny yng Nghwm Prysor, ac Owen wedyn yn rhestru enwau'r ffermydd eraill oedd ar hyd y ffordd. Bore trannoeth bu'n ddadl hir rhwng Ellis a'i fam:

> *Daeth yr amser* [ac] *Owen yn barod i gychwyn, a finna yn crio nerth fy mhen. Dyma fo yn cychwyn, a finna'n dal i grio a Mam yn methu fy nghael i'r tŷ, pobl eraill, mae'n debyg, yn fy nghlywad i'n crio ... Yn lle fy mod yn deffro plant eraill, dyma Mam yn galw ar Owen yn ei ôl.*

Do, ildiodd ei fam a chafodd Ellis ganiatâd i hebrwng Owen mor bell â Rhos Hafod Wen, lle deuai'r Gors i'r golwg. Ond yno roedd i droi'n ôl ar ei union am adref:

> *Roeddwn ar gefn fy ngheffyl, a ffwrdd â fi. Wyth oed oeddwn i ac Owen yn ddeg. Mynd wnaethon ni a minnau'n gofyn ble oedd y lle hwn a'r lle arall. Dyma gyrraedd ben Rhos Hafod Wen a dacw fo'r Gors, meddai'r brawd wrth bwyntio. Dim ond ychydig o'r to welwn i ond dywedodd fod yn rhaid i mi fynd yn ôl rŵan gan fod Mam wedi dweud felly. Petawn i ddim yn mynd byddai'n helynt arnom.*

Ond mynnu mynd yr holl ffordd wnaeth Ellis. Gwahoddwyd ef i'r tŷ gan ferch y teulu, Lizzie, oedd tua ugain oed a chanddi wallt melyn. Merch 'braidd yn drwm', meddai Ellis, 'real merch fferm'. Croesawodd Lizzie ef i'r tŷ a chafodd fwynhau brecwast gyda'i frawd, a Lizzie'n paratoi 'shot' i'r ddau. Rhyw gymysgedd o flawd ceirch a llaeth, neu uwd tenau oedd 'shot', mae'n debyg. Tynnir ei sylw gan y tegell yn hongian wrth gadwyn uwchben y tân, sef y craen traddodiadol. Synnir ef hefyd o weld tân mawn heb un 'clap o lo' arno.

Wedi brecwast caiff sgwrs â hen wreigan, sef nain Lizzie, ac ar ôl deall y rheswm dros ei ymweliad mae hi'n ei annog i fwyta llond ei fol ac i aros tan ar ôl te gan fod yna ddigon o waith ar ei gyfer. Mae hyn yn ei blesio ac aiff Ellis allan gydag Owen i gribinio'r weirglodd, bwydo llaeth i'r lloi a chario mawn i'r tŷ. Yn wir, treulia'r diwrnod cyfan yno wedyn yn helpu Lizzie i gorddi a golchi'r llawr. O ddarllen rhwng y llinellau, gwneir i rywun amau fod y bachgen wyth oed wedi ymserchu yn Lizzie – cariad diniwed plentyn at rywun hŷn. Daw'n ginio, ac Ellis yn dal yno. Dyma pryd y gwna Ellis gyfarfod â Robert Williams, y ffermwr. Gydag ef mae William (Willie), brawd arall i Ellis sy'n was yn y Gors ers blwyddyn. Rhaid bod hwnnw tua'r pymtheg oed. Yno hefyd mae Dafydd Lloyd, pladurwr. Cawn mai cyn-sowldiwr yw Dafydd, 'dyn diwyd a gonest' a fyddai, adeg y cynhaeaf, yn ymuno â'r fedel yn Nyffryn Clwyd.

Ar y bwrdd cinio ceir tatws newydd a chig moch cartref ac yna pwdin. Wedi cinio gwahoddir Ellis i ymuno â'r lleill i gywain gwair. Daw'n amser te, ac ar y bwrdd ceir llond powlen o shot, bara ceirch, torth wen wedi ei chrasu yn y popty mawr (sef y ffwrn wal) a chosyn cartref, a phawb i helpu ei hun.

Yn ôl wedyn ar ôl te i'r weirglodd a dyma ddod at awr fawr Ellis pan gaiff, o'r diwedd, wireddu ei freuddwyd:

> *A dyma gychwyn am y weirglodd, Willie ac Owen a cheffyl bob un a finnau'n cael mynd ar gefn y ceffyl oedd gan Willie. Dafydd Lloyd yn mynd i wneud y tŷ gwair yn barod. Dyna ddechrau, Willie yn codi i ben car a Robert Williams ar ben y car a finna yn helpu Lizzie i hel olion.*
>
> *Wedi cael carred yn barod, Owen yn mynd ag ef i'r gadlas*

a finna i nôl y ceffyl a'r car arall ac yn cael twyso rhwng y tyrra. Yr oeddwn yn meddwl fy hun yn arw. Fe gariwyd y weirglodd i gyd erbyn rhyw saith o'r gloch.
Dyma fynd at y tŷ â'r carred olaf.

'Beth wnawn ni â'r hogyn yma?' meddai Robert Williams. 'Mi fydd wedi blino'n arw cyn cyrraedd adre heno. Hwyrach mai ei adael i gysgu yma. Mae William yn mynd i'r llan heno a chaiff ddweud wrth ei fam a'i dad y caiff aros yr wythnos yma.'

'Hel olion', gyda llaw, oedd casglu ynghyd y crafion neu'r gwair rhydd oedd ar ôl. Cyn noswylio caiff Ellis swper o uwd reis, llaeth enwyn a llaeth ffres. Y bore wedyn cawn Robert Williams yn torri gwair, tra bo Ellis yn cael llonydd i gysgu'n hwyr. Disgrifir Robert yn eistedd ar yr injan gan gyffwrdd yn ysgafn â chefn y pâr ceffylau â gwialen hir bump i chwe throedfedd o hyd. Wedi brecwast aiff Ellis ati i chwalu stodiau gwair gwndwn gydag Owen. Yn anffodus, caiff Owen ddamwain ddiwedd yr wythnos a gorfod mynd adref. A dyma Robert Williams yn gwahodd Ellis i aros ymlaen. Mae'n mwynhau'r profiad gymaint nes iddo aros yno am bedair wythnos yn ogystal â threulio'r ddau gynhaeaf canlynol yno hefyd.

Y tymor wedyn, ac yntau erbyn hyn, mae'n rhaid, yn un ar ddeg oed, fe gyflogodd dros y cynhaeaf gydag Ellis a Dafydd Tudor, Bryn-maen-llwyd, dau hen lanc, gyda'u chwaer Katie yn 'housekeeper' iddynt, ac Annie Jones, Fronwynion yno'n forwyn. Cawn ddisgrifiad byw ohono'n torri danadl poethion ar gyfer y moch gan ddefnyddio cryman. Yna sylwa ar bladur yn y llofft stabal ac aiff ati i hogi honno. Ond amser te sylwa Katie fod ysgwydd côt Ellis yn rhiciau i gyd. A dyma sylweddoli i hynny ddigwydd wrth iddo osod y llafn ar ei ysgwydd i'w hogi. Roedd y llafn wedi torri drwy frethyn ei gôt, ei wasgod a'i grys gan adael gwrymiau coch ar groen ei ysgwydd. Rhybuddiwyd ef rhag defnyddio pladur eto nes iddo dyfu'n hŷn.

Aiff blwyddyn arall heibio a chawn ddisgrifiad o ymweliad arbennig, un sy'n nodi cysylltiad cyntaf Ellis â'r fyddin:

> *Dydd Sadwrn olaf, a'r ysgol yn torri am y cynhaeaf, mi es am dro i'r Camp i weld y milwyr. Cerddais i fyny i gyfeiriad lle'r oedd y Depot Batri ac i fyny yn fy mlaen ar hyd y ffordd am Rhiwgoch. Deuthum at y Post Office a'r Sergeants' Mess. Sefais yno yn gwylio ceffylau, chwech ohonynt, a thri sowldiwr. Deallais mai dau recriwt ac un regiwlar oeddynt a'r Sergeant yn eu rhoi drwy'r dril i ddysgu dreifio a reidio. Dyma ddyn allan o'r Post Office a gofyn yn Gymraeg a fuaswn yn leicio job am yr haf? Buaswn, meddwn. Ac i mewn â mi. Dyma y Post Feistr yn gofyn i mi ddarllen darn o bapur newydd yno a pheri i mi ysgrifennu un paragraff. Yna gofyn fy enw a faint oedd fy oed. Jyst yn ddeuddeg, meddwn.*

Dylid nodi fod gwersyll milwrol wedi ei sefydlu ym Mronaber ar droad yr ugeinfed ganrif. Beth bynnag, y canlyniad fu iddo gael ei gyflogi yno i gludo telegramau. Roedd ganddo, meddai, 'rhyw lun o feisicl haiarn' a bu wrth y gwaith drwy'r haf yn cario a dosbarthu telegramau o gwmpas y gwersyll, ei brofiad cyntaf o awyrgylch milwrol. I bob pwrpas cafodd ei fabwysiadu gan y gwersyll a chael rhannu bwyd â'r milwyr. Ar ben hynny cafodd ganiatâd wedyn i gael ei gludo rhwng ei gartref a'r gwersyll yn lorri'r fyddin. Tybed ai'r profiad hwn ymhlith y milwyr a wnaeth ei ysgogi'n ddiweddarach i listio?

Aiff ati wedyn i sôn am y teulu'n symud i Bantycelyn, lle mwy o faint. Cyfeiria hefyd at waeledd ei fam. Dechreuodd gynorthwyo Morris Williams, Llainwen, lle dysgodd elfennau dofi a hyfforddi ceffylau gwedd. Yn wir, gymaint oedd y galw am ei gymorth fel y byddai'n colli ambell ddiwrnod o ysgol er mwyn helpu Morris Williams i deilo ac i aredig. Nid oedd rhyw ddrwg mawr mewn colli ambell ddiwrnod o ysgol bryd hynny, meddai. Cyfeiria at ba mor lwcus oedd plant heddiw gan fod yna fwy o bwys ar addysg. Roedd bechgyn yn ei amser ef, meddai, yn dechrau gweithio yn ddeuddeg neu'n dair ar ddeg oed, 'pryd nad yw bachgen y dyddiau hyn ddim yn breuddwydio am fynd nes y bydd yn un ar bymtheg oed, a llawer yn ddeunaw oed'.

Ddiwedd yr haf hwnnw collodd ei fam gan adael ei dad 'yn weddw gyda rhyw saith neu wyth ohonom'. Daeth Anti Ann o Dyddyn Mawr, Llanfachreth i gadw tŷ ac i ofalu amdanynt:

> *Yr hyn sy'n aros yn fy nghof er dydd angladd fy mam yw i Ellis Tudor, Bryn-maen-llwyd ddod â'r car a'r gaseg las i'n cario. Cofiaf yn dda fod Gwen, Mag ac Owen yn y tu blaen, John Henry a finnau y tu ôl. Mae'n debyg y gallwn ddiolch fod fy nhad wedi dal yn weddw a rhoi ei holl allu i'n magu. Ac fe lwyddodd yn rhyfedd i'n cadw rhag newyn a dioddef. Mae ein diolch yn fawr iddo. Fe gafodd iechyd eithaf hyd yn un a thrigain pan ddechreuodd afiechyd yr hen chwarel effeithio'n drwm arno. Bu farw'n ddwy a thrigain oed.*

Yn ystod y cyfnod o dri mis y bu Ellis yn cario'r post, caeodd yr ysgol, sef y 'National School', ac anfonwyd y plant i ysgol y Cyngor. Yn wir, cawn yma gyngor ganddo oedd yn ei ddangos fel un o flaen ei amser. Dymunai weld uno'r ysgolion Sul yn yr un modd 'fel na fyddai angen i blant ymgecru ar fater enwadaeth'. Gyda'i gyfnod yn yr ysgol yn dod i ben, galwodd David Jones i ofyn am gael cyflogi Ellis yn was yn Fadfilltir, Cwm Prysor. Ac yno yr aeth y bore Llun canlynol 'a phecyn dan fy mraich'.

Nain i David Jones, sef Catherine (Catrin) Davies, oedd

yn ffermio Fadfilltir. Cawn ganddo dystiolaeth o ffyddlondeb yr hen wraig i'r oedfa Sul a'r Seiat a bu'n rhaid iddo eistedd wrth ei hymyl am ei fod, meddai, braidd yn ddiriedus. Cyfaddefa hefyd ei anhawster wrth ddysgu adnod newydd ar gyfer pob oedfa Sul. Cawn ganddo bob math o hanesion am ei helyntion fel gwas bach. Cawn un digwyddiad trist iawn:

> *Roedd gan Catrin Davies gath fawr wen a sbotiau duon arni. Yr oedd a meddwl mawr o'r hen gath ... Pan aethom i'r tŷ roedd ogla mawr fel rhywbeth yn ffrio. Daeth Catrin Davies i fewn.*
>
> *'Beth yw yr ogla sydd yma, dywed?'*
>
> *Erbyn iddi ddod at y tân roedd yr ogla yn gryf iawn a dyma Catrin Davies yn agor y popty. Ac yno yr oedd yr hen gath wedi ei llosgi. Tebyg ei bod* [Catrin] *wedi cau drws y popty heb wybod fod y gath i mewn.*

Cawn straeon eraill. Gorfod arwain y fules ar gyfer troi'r fuddai gorddi, a honno'n stopio byth a hefyd am ei bod hi'n rhy wan. Cawn wedyn ddisgrifiad o'r hen arferiad o ffermwyr cyfagos yn helpu ei gilydd i aredig ac ati gan siario ceffylau; hynny yw, yr hen arferiad o gyfnewid gwaith. Cyfeiriai at y dull hwn fel 'ffeirio', a hynny ar gyfer aredig yn arbennig. Byddai Dafydd Jones, meddai, yn ffeirio ceffyl gyda William Williams, yr Hendre a gadwai Golier. Yn ogystal â ffermio, gweithiai William Williams hefyd ar y ffordd er mwyn cynnal ei deulu o bump neu chwech o ferched ac un mab bach y nyth, stori gyffredin yn y cyfnod hwnnw yng nghefn gwlad.

Gadawodd Ellis Fadfilltir gan gyflogi Galan Gaeaf yn y Wern Uchaf gyda Morris Jones, mab Bronasgellog. Dywed fod Morris yn graswr yn yr odyn i Ellis Morris, Fronolau, a oedd hefyd yn felinydd. A cheir stori ddiddorol ganddo am beryglon mynd ar goll yn y niwl wedi iddo fynd gyda Fly, yr ast goch, i chwilio am ddefaid coll:

> *Wedi cyrraedd Cwmbychan roedd gen i ryw bymtheg o ddefaid. Gwelodd Charles Jones fi a daeth ataf a dweud am ryw bump arall ac fe'u cafodd i mi. Aeth â fi i'r tŷ i nôl bwyd. Bwytais lond fy mol a dyma wraig y tŷ yn rhoi brechdan yn fy mhoced rhag ofn y buaswn eisiau bwyd cyn cyrraedd. Cychwynnais, a daeth Charles i'm danfon. Roeddwn jyst â chyrraedd y top a dyma niwl yn dechrau hel, a minnau'n cynhyrfu erbyn cyrraedd y clawdd terfyn. Oherwydd y niwl doeddwn i'n gweld bron ddim o'm blaen a phob man yn ddiarth hollol.*
>
> *Llwyddais i gael y defaid drwy'r twll defaid oedd yn y clawdd a rhoi'r garreg yn y twll i dreio eu rhwystro rhag mynd yn ôl. Ni allwn yn fy myw weld y defaid. Mae'n debyg nad oeddent ymhell oddi wrthyf. Ni allwn chwaith gael hyd i'r llwybr. Roeddwn wedi dechrau blino a chofiais am y frechdan, a da oedd ei chael. Clywais rhyw dro, os colli'r ffordd a chi ganddoch chi, am ei dafodi, ac yn aml fe aiff adre. Fe ddechreuais dafodi'r ast, ond nid âi adre, dim ond gorwedd i lawr.*
>
> *Ni allwn ddal ati. Teimlwn fy hun yn frwnt, felly doedd dim amdani ond cychwyn am adre, dal i fynd ond heb deimlo fy hun yn dyfod i unman. Gweld pobman yn ddiarth hollol, minnau wedi lladd fy hun, wedi llwyr flino. Meddyliais i mi glywad ogla mwg mawn. Codais fy ysbryd a thrio cael y cyfeiriad. Cyn hir fe lwyddais. Yr oeddwn wedi cerdded ar hyd y top nes yr oeddwn wrth ben Hafoty Bach. Cefais hyd i'r tŷ a chefais gwpanaid o de gan Ann Jones, a'r niwl yn dechrau codi, ac euthum adre. Yr oedd hyn hanner awr wedi chwech ac yn dechrau twyllu.*

Nesaf, cawn Ellis yn Ffair Ganol yn y Bala, ffair gyflogi. Yn

Ellis – llanc ifanc o'r Traws cyn y rhyfel

ystod y dydd daw tua deg ar hugain o ffermwyr ato i gynnig ei hurio, a hynny'n dweud llawer am ei enw da fel gweithiwr. Mae'n dewis cyflogi gyda John Roberts, Cynythog Ganol, Llidiardau. Caiff swllt o ernes, sef arwydd o gytundeb. Yn y ffair mae'n taro ar ei frawd, Willie, a oedd erbyn hyn yn was yn Nhŷ-du, y Parc ger y Bala. Prif waith Ellis, gyda chymorth Bob Hughes, hen lanc, oedd porthi'r gwartheg, ac fel 'porthwr' y câi ei gyflogi. Roedd yna ddau feudy ar gyfer tua phymtheg o wartheg godro a'r un nifer o loi. Roedd yno hefyd tua deg ar hugain o wartheg hesbion.

Sylweddolodd yn fuan fod yna wahaniaeth tafodieithol rhwng ardal y Bala ac ardal y Traws. Anfonir ef i un o'r beudai i nôl 'cunnog'. Yn anffodus, doedd ganddo ddim syniad beth oedd ystyr y gair. Bu chwerthin mawr pan esboniwyd wrtho mai cunnog oedd yr enw lleol ar stên odro. Ei 'bartner cysgu' oedd hen lanc difyr, Bob Hughes, a weithiai ar y tir a chloddio ffosydd, neu 'dorri sinke' yn ôl Ellis. A gwelodd gryn wahaniaeth rhwng arferion ffermio'r fro ac arferion ardal y Traws:

> *Ni welais dorri sinke na phlygu gwrych. Dim gwair rhos; ychydig o wair gweirglodd.*

Ymddengys ei fod wrth ei fodd yn ei waith. Cawn ganddo ddisgrifiad byw o'r gwartheg:

Pan fyddai barrug y bore, byddent yn gorfedd allan â'u cefnau yn wyn ac yn neidio a lluchio eu traed ... Roeddwn wrth fy modd yn eu gweld yn mwynhau eu hunain ac hefyd yn meddwl fy mod yn cael hwyl fel Porthwr.

Cawn ddisgrifiad arall ohono'n canfod golygfa annisgwyl iawn:

Un peth a'm rhyfeddodd yn fawr. Yr oeddwn yn cau sinke gyda Bob Hughes am y terfyn â Cynythog Bella a dyma glywed sŵn dyn yn siarad. Aethom at y gwrych ... Nid oedd yno ond Bob Davies. Yr oedd yn troi gydag un o'r gweddi smartia welais i erioed, mi gredaf. Ceffyl du a cheffyl coch tywyll tua saith neu wyth oed. Rhyfeddod oedd gweld y ddau geffyl yn mynd ar yr un 'pace' [tuth], *byth yn stopio hyd yn oed ar y dalar a dim* [defnydd o'r] *reins o gwbl, dim ond Bob yn siarad â hwy.*

Dechreuodd fynychu capel bach Llidiardau lle'r oedd John Roberts yn flaenor ac yn chwarae'r offeryn ar brydiau. Yn chwarae hefyd byddai 'rhyw gog o hogyn'. Canfu mai John Jones oedd hwnnw, a ddaeth drosodd wedyn i ardal y Traws i ffermio ar ôl y Rhyfel Mawr. Disgrifiodd ef fel tenor gwych a ddaeth yn godwr canu ac yn organydd y capel yng Nghwm Prysor.

Âi draw i'r Parc yn aml lle byddai Lizzie Roberts yn golchi ei ddillad a lle byddai'n cael cyfle i gwrdd â'i frawd Willie. Treuliodd flwyddyn a hanner yn ardal y Bala ynghyd â threulio cyfnod tu hwnt i'r dref yng Ngelli Erin, Rhosygwalia. Roedd y ffermwr, John Jones, yn dad i dri o feibion, Gruffydd, Bob a Johnny, ac yn ganwr da, yn aelod o Gôr Llanfor. Treuliai Ellis ambell i ddydd Iau gyda'r bechgyn yn ffureta:

Byddai y bechgyn yn cael yr arian yn bres poced. Yr oeddynt yn magu dwy neu dair ffuret. Ond byddai'n rhaid rhoi mwsel ar un neu mi fyddai, o ddal gwningen, am sugno ei gwaed a chysgu am y dydd. Hwyrach y cawn ni hi drannoeth. Byddai gennym ryw lond dwy sach [o gwningod] ...

Gwerthid y cwningod i Williams y Ffish yn y Bala ac anfon eraill i Gorwen. Mae'n debyg mai siop Williams y Ffish oedd Y Badell Aur, siop W. D. Williams.

Trodd yn ôl o'r Llidiardau wedyn am ei fro enedigol gan gyflogi ym Mronasgellog, Bryn Celynnog, Llwyncrwn a Thyddyn Garreg. Nid yw'n ymhelaethu. 'Oddi yno,' meddai'n syml, 'ymunais â'r fyddin.' Y dyddiad oedd y 10fed o Fehefin 1915, pan gymerodd y cam cyntaf ar ei ffordd o nefoedd coed y Glasfryn i uffern Coed Mametz.

Y recriwt

Ar ddechrau 1914 roedd aelodaeth Byddin Prydain yn 710,000, yn cynnwys chwarter miliwn o filwyr wrth gefn, neu filwyr adfyddinol fel y'u gelwid. Roedd oddeutu 80,000 ohonynt yn filwyr rheolaidd wedi eu paratoi at ryfel ond dim ond 900 oedd yn swyddogion hyfforddedig. Erbyn diwedd y rhyfel roedd chwarter poblogaeth wrywaidd y Deyrnas Gyfunol ac Iwerddon wedi ymuno â'r fyddin naill ai'n wirfoddol neu wedi eu consgriptio, sef pum miliwn o ddynion, 2.67 miliwn o'r naill a 2.77 miliwn o'r lleill.

Pan gyhoeddodd Prydain ryfel yn erbyn yr Almaen ym mis Awst 1914, galwyd am 100,000 o ddynion ar fyrder. Cafodd propaganda cynnar fel posteri enwog Herbert Kitchener, y Gweinidog Rhyfel, ymateb chwim. Yng Nghymru anogodd rhai Cristnogion fel John Williams, Brynsiencyn o'r pulpud ar i ddynion ifanc ateb yr alwad gan ddenu cefnogaeth frwd. Gweinidog gyda'r Methodistiaid Calfinaidd oedd John Williams a wisgai lifrai milwrol a phregethu dros hawl cenhedloedd bach gan annog pobl ifanc Cymru i fynd yn wrol i'r gad. Gymaint fu'r rhuthr i listio fel y bu i ymron hanner miliwn ledled y Deyrnas Gyfunol ymuno o fewn y ddau fis cyntaf.

Tybed a wnaeth John Williams ddylanwadu ar Ellis? Pregethai ledled y gogledd. Ceir hanesyn am y modd y llwyddodd i berswadio llanc o Lŷn i listio. Roedd Griffith Jones yn bresennol yng Nghapel Ebeneser yn y Ffôr, Eifonydd yn gwrando ar John Williams yn pregethu. Ar ddiwedd yr oedfa aeth ar ei union i'r sêt fawr i listio. Ymbiliodd ei fam arno i ailfeddwl, ond yn ofer. Lladdwyd y bachgen 23 oed yng Nghoed Mametz. Trodd y fam ei chefn ar y capel am byth. Ceir yr hanes gan Geraint Jones, nai i Griffith, yn y gyfrol *Epil Gwiberod yr Iwnion Jac.*

Dull arall o ddenu hogiau ifanc i'r gad oedd creu propaganda wrth i'r papurau newydd, gyda chefnogaeth haneswyr amlwg y dydd, hau straeon am farbareiddiwch yr Almaen, y Bwli Mawr, yn cam-drin Belg Fach Ddewr. Canwyd caneuon gwladgarol fel 'Keep the Home Fires Burning' a chaneuon i godi calon fel 'It's a Long Way to Tipperary' a 'Pack Up Your Troubles in Your Old Kit Bag'. Ymhlith y prif anogwyr roedd yr awdur Syr Arthur Conan Doyle. Canai beirdd fel Kipling am yr angen am ddewrder i wynebu'r gelyn er mwyn amddiffyn y gwerthoedd gwâr Prydeinig.

Rheswm arall dros listio oedd diweithdra a chyflogau isel. Yn ôl archifau'r cyfnod, cyflog chwarelwr yn yr Oakeley ym Mlaenau Ffestiniog tua diwedd y bedwaredd ganrif ar bymtheg oedd £6.00 y mis. I ddau oedolyn a phump o blant a ddibynnai ar gyflog y tad byddai bil cynhaliaeth yn uwch na'r gyflog, a byddai disgwyl i chwarelwr dalu am ei offer ei hun. Disgwyliad einioes chwarelwr yn 1875 oedd 37 mlynedd, a hynny 30 mlynedd yn is na'r disgwyliad cyffredinol.

Yn 1900 cafwyd Streic Fawr y Penrhyn pan gerddodd 2,800 o'r dynion allan. Fe'u clowyd allan am dair blynedd. O ganlyniad collodd y gweithlu draean o ddynion. Ymfudodd llawer i weithfeydd glo'r de. Roedd y fyddin felly yn ddihangfa rhag diweithdra. Cyfeiria Ellis at ddynion o'i ardal ef yn dewis y fyddin yn hytrach na'r chwarel. Byddai listio yn golygu cyflog o swllt y dydd, ynghyd â darpariaeth ddigonol o ddillad a bwyd.

Gymaint fu'r rhuthr i'r gad ar y cychwyn fel y cafwyd prinder arfau ar eu cyfer. Yn wir, gorfodid rhai milwyr i ymarfer â reiffls pren. Bu'n rhaid i rai o filwyr y 38ain ddefnyddio coesau brwshys yn lle reiffls go iawn yn eu gwersyll yng Nghaer-wynt (Winchester). Ond buan y daeth y dadrithiad. Ym Mrwydr Loos rhwng y 25ain o fis Medi a'r 14eg o fis Hydref 1915 collodd Byddin Prydain ymron 60,000 o ddynion, un ohonynt yn fab i Kipling, y bardd gwladgarol.

Yn dilyn y rhuthr cychwynnol, o ganlyniad i golledion enfawr ar faes y gad a'r sylweddoliad y gwnâi'r rhyfel bara am amser hir, arafodd y llif. Cyhoeddwyd felly'r Ddeddf Gonsgriptio gan y Prif Weinidog Herbert Asquith ym mis Ionawr 1916 a'i gweithredu dri mis yn ddiweddarach. Doedd hi ddim yn bodoli yn Iwerddon ond gellid consgriptio'r Gwyddelod hynny y gellid profi iddynt fyw ar dir mawr Prydain. Ni cheisiwyd cyhoeddi consgripsiwn yn Iwerddon tan 1918, ac achosodd hynny gryn gynnwrf. Er hynny, collodd 49,000 o Wyddelod eu bywyd yn y Rhyfel Mawr.

Roedd consgripsiwn yn orfodol, ar wahân i gategorïau arbennig, i bob dyn rhwng 19 a 41 oed, ac i unrhyw ddyn a oedd, ar yr 2il o Dachwedd 1915, yn ddibriod neu'n ŵr gweddw heb fod plant yn ddibynnol arno. Estynnwyd hyn ym mis Mai 1916 i gynnwys gwŷr priod ac yn 1918 i ddynion o dan 51 oed. Er na châi neb o dan 18 oed listio, credir i gymaint â chwarter miliwn o lanciau o dan yr oedran swyddogol wneud hynny. Yn y cyfnod hwnnw, wrth gwrs, roedd tystysgrifau geni yn bethau prin, felly peth hawdd fyddai twyllo ynghylch oedran. Dylid cofio hefyd y câi swyddogion recriwtio dâl o hanner coron am bob recriwt newydd. Byddai hynny'n anogaeth i droi llygad dall. Byddai archwiliadau meddygol yn llac hefyd. Beth os nad oedd llanc yn 18 oed? Os oedd yn ddigon cryf ac yn iach, beth oedd y broblem?

O'r cychwyn roedd Kitchener wedi pwysleisio'r angen am fyddin enfawr. Roedd ef ymhlith lleiafrif a ragwelai ryfel hir. Haerodd y byddai canlyniad y rhyfel yn dibynnu ar y miliwn olaf o ddynion i ymuno. Ei nod oedd creu 70 Adran gyda 92,000 yn ymuno bob mis. Erbyn 1915 cofnodwyd enwau pob dyn rhwng 18 a 41 oed o dan y Ddeddf Gofrestru Genedlaethol.

Ymddengys nad oedd angen anogaeth ar Ellis Williams. Ond stori wahanol fu hi yn hanes cymydog a chydoeswr i Ellis, sef Hedd Wyn, neu Ellis Humphrey Evans a rhoi iddo'i enw bedydd. Galwyd ar i deulu'r Ysgwrn anfon un o ddau fab i'r gad, a hynny er gwaetha'r ffaith fod ffermio'n alwedigaeth a gâi ei hystyried fel un oedd o bwysigrwydd cenedlaethol ac yn rheswm dros osgoi mynd. Mynnodd Ellis, fel y brawd hynaf – er ei fod yn heddychwr wrth egwyddor – fynd yn hytrach na Robert, ei frawd iau. Ym mis Mawrth 1917 rhyddhawyd ef dros dro i helpu gyda'r aredig gartref yn yr Ysgwrn. Yna, ac yntau gartref eto am bythefnos bu saith diwrnod yn hwyr yn dychwelyd. Oherwydd bod yr haf hwnnw'n un mor wlyb oedodd er mwyn helpu gyda'r cynhaeaf gwair. Golygai hyn y câi ei ystyried yn enciliwr. Cymerwyd ef o'r cae gwair i garchar yn y Blaenau. Oddi yno fe'i gyrrwyd i Wlad Belg. Ym Mrwydr Passchendaele ar ddiwrnod olaf mis Gorffennaf ar Gefn Pilckem, fe'i lladdwyd.

Yn rhyfedd iawn, nid yw Ellis Williams yn ei atgofion yn cyfeirio o gwbl at yr Ellis arall hwnnw. Roedd y ddau'n gyfoedion ac o gefndir tebyg a dim ond dwy filltir sydd rhwng yr Ysgwrn a phentref y Traws lle trigai Ellis Williams. Mewn cymuned a chymdeithas mor glòs, rhaid eu bod wedi adnabod ei gilydd. Yn ôl Gerald Williams, nai i Hedd Wyn, does yna ddim amheuaeth i'r ddau adnabod ei gilydd. Ni fedrent beidio, meddai, gan eu bod yn troi yn yr un cylchoedd. Cawn hefyd yn *Awen Ariannin*, a olygwyd gan R. Bryn Williams (1960), fod brawd Ellis, sef Willie, a fabwysiadodd y ffugenw Prysor ac a ymfudodd i Batagonia gyda brawd arall, Owen, yn 1911, yn ffrindiau agos i Hedd Wyn. Roedd y ddau yr un oedran. Roedd brawd hŷn, Evan Bob, wedi ymfudo eisoes. Ceir mwy o'r hanes hwnnw yn nes ymlaen.

Ymunodd Ellis Williams â'r 4edd Adfyddin o'r Ffiwsilwyr Cymreig fel Preifat Rhif 26129 o'i wirfodd. Mae'n siŵr y gallasai, fel gwas fferm, fod wedi ceisio osgoi'r fyddin am y rheswm a ddisgrifiwyd eisoes. Ond does dim awgrym iddo geisio gwneud hynny.

Mae'n debygol mai yn y Blaenau y listiodd Ellis, er nad yw'n dweud hynny. Nid yw'n esbonio chwaith ei reswm dros wirfoddoli, ond mae'n rhaid fod ei gyfnod hapus fel postmon yng Ngwersyll Bronaber pan oedd yn blentyn wedi dylanwadu ar ei benderfyniad. Mae'n amlwg, o ddarllen ei atgofion. fod y milwyr wedi cymryd ato ef ac yntau wedi cymryd at y milwyr.

Er mwyn hybu recriwtio, cafodd y Cadfridog Henry Rawlinson y syniad o sefydlu bataliynau wedi eu seilio ar gymunedau lleol. Byddai Rawlinson yn chwarae rhan allweddol ym Mrwydr y Somme fel Lefftenant Cyffredinol o'r Bedwaredd Fyddin. Teimlai Rawlinson y byddai dynion yn fwy parod i listio pe medrent frwydro ymhlith ffrindiau. Hybwyd y syniad gan yr Arglwydd Derby. Fe gâi'r bataliynau eu hadnabod fel 'Pals Battalions'. Gallent fod yn ffrindiau, cyd-weithwyr, clybiau chwaraeon neu glybiau ieuenctid; yn wir, unrhyw grwpiau neu fudiadau a fyddai'n tynnu pobl at ei gilydd.

Cychwynnwyd gyda broceriaid yn y Ddinas yn Llundain. O fewn llai nag wythos, listiodd 1,600 o ddynion.

Lansiwyd ymgyrch tebyg yn Lerpwl, a denwyd 1,500 ar y diwrnod cyntaf. O fewn dyddiau ymunodd digon yno i ffurfio pedair bataliwn. Erbyn diwedd y mis roedd 30,000 o ddynion y dydd yn listio ledled y Deyrnas Gyfunol. Rhwng 14 Medi 1914 ac 16 Mehefin 1916 ffurfiwyd 351 o'r Bataliynau Cyfeillion hyn, yn cynnwys un o blith cefnogwyr West Ham United.

Yng Nghymru seiliwyd yr 16eg Bataliwn ar weithwyr Neuadd y Ddinas, Caerdydd. Denwyd aelodau'r 10fed a'r 13eg o blith glowyr de Cymru a'u galw yn Rhondda 1af a Rhondda 2il, neu'r 'Rhondda Pals'. Seiliwyd y 14eg ar Glwb Criced a Phêl-droed Abertawe.

Mae'n werth manylu ar hanes ffurfio'r 'Rhondda Pals' fel enghraifft. Y symbylydd oedd David Watts-Morgan a dywedir iddo, mewn cyfarfod yng Nghapel y Tabernacl yn y Porth, ddyfynnu rhai o eiriau Lloyd George:

> Hoffwn weld byddin Gymreig yn y maes. Hoffwn weld yr hil a ymladdodd y Normaniaid am gannoedd o flynyddoedd yn eu hymdrech dros ryddid ... yr hil a ymladdodd am genhedlaeth dros Glyndŵr yn erbyn y capten mwyaf yn Ewrop, hoffwn weld yr hil honno yn rhoi cyfrif da ohoni ei hun yn yr ymdrech hon yn Ewrop, ac fe wnânt hynny.

Yn rhannu'r llwyfan ag ef roedd Mabon, sef William Abraham, AS y Rhondda, William Brace, AS Abertyleri, a Rhys Williams KC. Yn siaradwr Cymraeg, daeth Watts-Morgan wedyn yn brif recriwtiwr ledled Cymru a chafodd ei ethol ar ôl y rhyfel yn AS dros Orllewin y Rhondda.

Roedd ffurfio'r Bataliynau Cyfeillion yn drobwynt yn hanes recriwtio. Gynt, y byddigions fyddai craidd y milwyr proffesiynol. Ond yn awr, gan fod angen dynion, teimlwyd y byddai hwn yn ddull poblogaidd o ddenu ffrindiau, cyd-weithwyr ac aelodau o bob math ar fudiadau a chlybiau gyda'i gilydd i'r gad. Gallai bataliwn olygu hyd at rhwng 300 ac 800 o ddynion a'r syniad, mae'n siŵr, oedd creu undod a brawdgarwch. Ond yr anfantais oedd y gallai tref gyfan golli'r mwyafrif o'i dynion ifanc mewn un diwrnod.

Dyna fu tynged tref Accrington. Sefydlwyd yr 'Accrington Pals' fel yr 11eg Bataliwn (Gwasanaeth) o Gatrawd Dwyrain Caerhirfryn. Yn Serre, ar ddiwrnod agoriadol Brwydr y Somme, lladdwyd 235 o'r bechgyn ac anafwyd 350 o fewn munudau. Cyfeiriwyd eisoes at y 'Rhondda Pals'. Yn ystod ail ymosodiad Coed Mametz roedd mil o aelodau'r gatrawd ymhlith y milwyr. Y bore wedyn dim ond 135 oedd yno i ateb yr alwad gofrestru. Roedd y gweddill naill ai'n farw neu wedi eu hanafu.

Enghraifft nodedig arall o wirfoddolwyr o'r un lle oedd yr Uned Diriogaethol a sefydlwyd gan y Lefftenant Gyrnol Charles Henry Darbishire, Cadeirydd Cwmni Ithfaen Penmaenmawr. Gwrthodwyd ef ei hun gan yr awdurdodau am ei fod yn rhy hen i frwydro, felly galwodd am wirfoddolwyr o blith gweithwyr ei gwmni. Listiodd 133 ohonynt a'u ffurfio yn 6ed Bataliwn o'r Ffiwsilwyr Cymreig. Fe'u bedyddiwyd yn 'Quarry Boys'. Fe'u hanfonwyd i Gallipoli ac ym mis Awst 1915, yn ystod un diwrnod ym Mrwydr Bae Sulva, fe'u chwalwyd. Ymhlith y lladdedigion roedd rheolwr y gwaith, Gus Wheeler.

Ni pharhaodd y 'Pals Battalions' yn hir. Rhwng marwolaethau ac anafiadau ar faes y gad fe'u diddymwyd. Meddai un milwr dadrithiedig, John Harris o'r 'Accrington Pals', 'Cymerodd ddwy flynedd i'n creu; cymerodd ddeng munud i'n difetha.' Elfen arall yn y penderfyniad i ddod â'r Bataliynau Cyfeillion hyn i ben fu llwyddiant consgripsiwn. Llyncwyd gweddill y Bataliynau Cyfeillion hynny a oroesodd gan unedau milwrol eraill.

David Lloyd George, y Canghellor ar y pryd, wnaeth

esgor ar y syniad o greu Byddin Gymreig o ddwy Adran. Gwelai hyn fel cam tuag at ffurfio Corfflu Cymreig a fyddai'n fodd i greu uned bwerus a gyfrannai tuag at atgyfnerthu'r ethos o genedl Gymreig. Fe wnâi Awstralia a Chanada rywbeth tebyg. Y nod oedd denu 50,000 i'r rhengoedd.

Ond araf fu'r recriwtio a chymerodd flwyddyn i gyrraedd y nod. Daeth y 38ain i fodolaeth ym mis Hydref 1914 gan gychwyn gydag uno naw bataliwn. Gwnaed hynny gyda chymorth cyfraniadau ariannol cyhoeddus. Ychwanegwyd pedair arall yn gynnar yn 1915. Yna, yn ystod gwanwyn y flwyddyn honno rhoddwyd y gorau i'r syniad o greu dwy Adran gan nad oedd poblogaeth Cymru'n ddigonol. Bodlonwyd felly ar lynu at un Adran. Caplan Anrhydeddus yr Adran oedd John Williams, Brynsiencyn, y recriwtiwr mawr ei hun.

Byddai milwyr fel Ellis yn cael eu darparu â lifrai'r Adran o frethyn llwyd ynghyd â *webbing* lledr i ddal offer fel bomiau llaw a masg nwy, a reiffl a bidog. Fel y nodwyd yn gynharach, roedd yna brinder reiffls. Y reiffl safonol oedd y Lee-Enfield .303 a ddaliai ddeg bwled ar y tro. Ei wendid oedd fod tuedd ynddo i dagu ar faw neu fwd, a byddai gofyn ei lanhau byth a hefyd. Ac yn ffosydd lleidiog y Somme a Fflandrys byddai honno'n broblen barhaus. Cariai'r Almaenwyr reiffls Mauser a thra na wnaen nhw ddal ond pum bwled ar y tro, roedden nhw'n fwy dibynadwy na'r Lee-Enfield.

O ran perygl nwy, mae'n syndod canfod mai nifer y milwyr Prydeinig a laddwyd o effeithiau nwy oedd 8,100, llai nag a laddwyd ar ddiwrnod cyntaf y Somme. Ddim ond unwaith y cyfeiria Ellis at berygl nwy yn ei atgofion. Ond roedd i nwy beryglon iechyd hir-dymor, a chredir i Ellis fod ymhlith y dioddefwyr hynny.

Ond yr arf a wnaeth bersonoli'r Rhyfel Mawr oedd y

gwn peiriant. Ac roedd agwedd Prydain a'r Almaen tuag at y defnydd ohono yn gwahaniaethu'n fawr. Roedd yr uchel awdurdod milwrol ym Mhrydain yn amheus iawn o'r Maxim cynnar. Yn wir, nid ystyrient y defnydd o ynnau peiriant fel dull priodol o ymladd. Doedd e ddim yn 'cricket'.

Perffeithiodd yr Almaenwyr ar y llaw arall y dull o'i ddefnyddio. Gyda chriw o bedwar yng ngofal pob gwn, roedd ganddynt 12,000 o ynnau peiriant at eu defnydd yn 1914. Cododd hyn i 100,000 tra mai dim ond ychydig gannoedd oedd gan Brydain a Ffrainc, sef dau wn peiriant yr un ar gyfer pob bataliwn o wŷr traed. Ond yn raddol mabwysiadwyd y Vickers a'r Lewis. Câi'r gynnau Almaenig eu hadnabod fel Machinengewehr 08, neu'r Spandau MG 08, am mai mewn ffatri ym mwrdeistref Spandau yng Ngorllewin Berlin y'u cynhyrchid. Medrai'r gynnau hyn danio rhwng 1,200 a 3,600 bwled y funud, gan ddibynnu ar y mathau a ddefnyddid, gryn ddwbl nifer y gynnau Prydeinig. Medrent daro targed hyd at 600 metr i ffwrdd. Gwendid y gwn peiriant yn gyffredinol oedd mai dim ond am gyfnodau byr y medrid ei danio gan fod tuedd ynddo i boethi a thagu. Ond dyma'r arf yn anad yr un arall a fu'n gyfrifol am chwalu a malu'r 38ain ym Mametz. Gelwid y gwn peiriant gan y milwyr Prydeinig yn 'daisy cutter', ac yn 'frwsh paent y diafol', a hynny am reswm da. Anelai'r Almaenwyr hwy'n isel at goesau'r gelyn. Byddai'r milwyr hynny'n disgyn, ac yna byddai'r Almaenwyr yn dal i danio ar yr un ongl gan falu cyrff eu gwrthwynebwyr, druain.

Mae'n siŵr mai'r ddelwedd sy'n crisialu'r Rhyfel Mawr yn fwy na'r un arall yw'r ffosydd, a'r awlad i fynd 'dros y top'. Y ffos agosaf at linellau'r gelyn fyddai'r llinell flaen. A dyma oedd y man mwyaf peryglus. Doedd y defnydd o ffosydd ddim yn gyfyngedig i'r Rhyfel Mawr. Fe'u defnyddiwyd yn Rhyfel Cartref America (1861–65) ac yn Rhyfel Rwsia-

Japan (1904–05). Ond gymaint fu'r ddibyniaeth arnynt yn y Rhyfel Mawr fel y ceid erbyn mis Tachwedd 1914 rwydwaith di-dor o ffosydd yn ymestyn 400 milltir o ffiniau'r Swistir i Fôr y Gogledd.

Ar y Somme roedd cloddio ffosydd yn dasg gymharol hawdd gan mor galchog oedd y tir. Gan fod y pridd mor sych, tueddai ochrau'r ffos i chwalu a dymchwel. Câi'r ochrau wedyn eu hatgyfnerthu â choed – neu 'barwydydd', yn ôl Ellis. Defnyddid hefyd sachau tywod a'u hamgylchynu â weiren bigog. Gallai ffosydd y ddwy fyddin fod mor agos â dau can llathen at ei gilydd. Rhwng y llinellau blaen hyn fyddai Tir Neb. Y ffos fyddai parth y gwŷr traed a byddai disgwyl i filwr dreulio pedwar diwrnod ar y tro yn y ffos, pedwar wrth gefn a phedwar o orffwys.

Seiliwyd y 38ain Adran ar dair Brigâd a'u hunedau adrannol sef y 113eg Brigâd oedd yn cynnwys pedair bataliwn o'r Ffiwsilwyr Cymreig, y 13eg, y 14eg, y 15fed a'r 16eg. Roedd gan y 14eg Brigâd ei hun bedair bataliwn o'r Gatrawd Gymreig, sef y 10fed, y 13eg, y 14eg a'r 15fed. Roedd y 115eg Brigâd yn gasgliad o'r tair catrawd gwŷr traed, yr 17eg, y 10fed a'r 11eg Cyffinwyr De Cymru ynghyd â'r 16eg Cymreig. Nifer y milwyr yn yr Adran newydd oedd 18,500.

Yn yr Adran Gymreig, faint o'r Ffiwsilwyr oedd yn siaradwyr Cymraeg? Dangosodd Cyfrifiad 1911 fod 43.5 y cant o boblogaeth Cymru'n siarad yr iaith. Yn wir, dangosodd hefyd fod canran y rhai na fedrent siarad Saesneg yn Sir Feirionnydd yn 48 y cant. Does yna ddim ffigurau ar wahân i ddangos faint o ddynion o fewn yr oedran perthnasol i wasanaethu fel milwyr yng Nghymru a siaradai Gymraeg. Ond ceir un sylw dadlennol gan un o swyddogion y Ffiwsilwyr.

Roedd Llewelyn Wyn Griffith o Landrillo-yn-Rhos yn Gapten gyda'r 15fed Ffiwsilwyr adeg Brwydr Coed

Mametz. Yn ddiweddarach cofnododd ei hanes yn y gyfrol *Up to Mametz* a gyhoeddwyd yn 1931. Diweddarwyd y gyfrol honno ar ôl darganfod mwy o bapurau'r Capten Griffith a'i galw'n *Up to Mametz and Beyond* a'i chyhoeddi yn 2010. Yn ôl Griffith, roedd y mwyafrif o aelodau'r Ffiwsilwyr Brenhinol Cymreig yn siarad Cymraeg ac o gefndir tebyg i'w gefndir ef ei hun:

> Yn Gymraeg y siaradem yn rhydd, y swyddogion a dynion [cyffredin] fel ei gilydd, ac wrth ein gilydd, heb amharu o gwbl ar fater y protocol milwrol a berthynai'n gyfan gwbl i'r byd Saesneg. Creodd hyn rwymyn o undod, y teimlad hwnnw o fod yn encilfa o fewn cymuned.
>
> Dyma'r Gatrawd y gwasanaethai Robert Graves, Siegfried Sassoon, David Jones, Vivian Pinto a Frank Richards ynddi, awduron y goreuon o'r llyfrau rhyfel. Ond ni siaradent Gymraeg, felly roedd yno fyd na fedrent gael mynediad iddo. Nid bod hynny'n tynnu oddi ar werth eu llyfrau, ond roedd yn eu hamddifadu ar yr un pryd.

Aiff ymlaen i greu darlun o'r hyn mae'n ei olygu. Disgrifia olygfa ar lan camlas ger Ypres, lle clywyd tanio sieliau'n ysbeidiol ac ambell wn peiriant yn rhuglan. Mae roced oleuo *Very* yn saethu i fyny i'r tywyllwch a disgyn, gan greu tywyllwch dwysach fyth. Mae criw wrth gefn yn disgwyl, 'wastad yn blydi disgwyl', am y gorchymyn i symud i fyny'r ffosydd cyfathrebu tuag at y ffrynt:

> Dechreuant ganu, o fod yn Gymry, mewn harmoni, hen emyn Cymraeg hyfryd mewn cyweirnod lleddf. Mae'r Brigadier Cyffredinol yn gofyn i mi, 'Pam maen nhw bob amser yn canu'r emynau galarus hyn? Mor

ddigalon – gwael o ran codi'r ysbryd. Pam na fedrant ganu rhywbeth calonogol fel y gwna bataliynau eraill?' Ceisiaf esbonio wrtho mai'r hyn a ganant nawr yw'r hyn a wnaethant ei ganu'n blant, fel y gwnes i, yn y capel, yn y byd y maent yn perthyn iddo. Maent yn bod yr hyn ydynt yn hytrach na bod yn ddynion mewn lifrai. Maent gartref gyda'u teuluoedd, yn eu pentrefi. Ond nid yw'n deall. Ni fedr chwaith, gyda'i gefndir ef.

Ategwyd cryfder y Gymraeg ym mywyd bob dydd y milwyr gan Wynn Wheldon mewn erthygl yn *The Welsh Outlook* yn 1919. Yn dad i Syr Huw Wheldon, roedd yn aelod o'r 14eg Bataliwn (Gwasanaeth). Dywedodd fod y Gymraeg i'w chlywed ym mhobman mewn cyfarchion, mewn comdemniad ac mewn rhybuddion – ac, wrth gwrs, mewn emynau. Dengys hyn i syniad yr Arglwydd Derby ddwyn ffrwyth. Onid dyma oedd bwriad sefydlu'r 'Pals Battalion'? Onid annog tynnu tebyg at eu tebyg oedd y nod er mwyn creu brawdoliaeth glòs?

Ar ben arall y sbectrwm i'r rhai a ymunodd yn wirfoddol roedd y gwrthwynebwyr cydwybodol. Dywedir i 16,000 wrthod ymladd yn y Rhyfel Mawr ar seiliau egwyddorol. Yn wynebu'r heddychwyr hyn byddai tribiwnlys. Tueddai'r gwrandawiadau i fod yn elyniaethus eu hagwedd. O gael eu dadl wedi'i gwrthod byddai'r dynion mewn sefyllfa amhosibl, bron. Byddai'n rhaid iddynt naill ai plygu ac ymuno neu gael eu harestio. Dewis arall fyddai gwneud gwaith a ystyrid yn allweddol, fel gweithio ar y tir. Cofnodwyd 4,500 o'r rheiny. Dewis arall eto fyddai ymuno â gwahanol fudiadau meddygol yn ymgeleddu milwyr clwyfedig a chludo clwyfedigion ar faes y gad. Dyna fu tynged 7,000, yn cynnwys Lewis Valentine. Treuliodd dair blynedd yn aelod o uned o Gorfflu Meddygol Brenhinol y Fyddin yn Lloegr, Ffrainc ac Iwerddon. Gorfodwyd eraill, cymaint ag 16,000, i ymuno. Bu farw deg gwrthwynebydd cydwybodol yng ngharchar a bu farw tua 70 ar ôl eu rhyddhau o ganlyniad i gamdriniaeth.

Un gŵr amlwg a wrthododd ymladd, a hynny ar sail undod dosbarth, oedd Arthur Horner, darpar Lywydd Ffederasiwn Glowyr De Cymru ac Ysgrifennydd Cyffredinol Undeb Cenedlaethol y Glowyr. Gwrthododd Horner ymladd yn erbyn yr Almaenwyr am y teimlai fod perchnogion y glofeydd a'r Llywodraeth a'u cefnogai yn elynion llawer agosach na'r Kaiser. Ffodd i Iwerddon gan ymuno â Byddin y Dinasyddion Gwyddelig. Pan ddychwelodd fe'i harestiwyd a'i garcharu am chwe mis. Yna gwrthodwyd iddo'r amnesti a ddaeth i rym tuag at ddiwedd y rhyfel ac fe'i hanfonwyd yn ôl i garchar.

Mabwysiadwyd deddfau llym i ddelio â gwrthwynebwyr trwblus. Bedwar diwrnod i mewn i'r rhyfel mabwysiadwyd Deddf Amddiffyn y Deyrnas (DORA). Bwriad y ddeddf gynhwysfawr hon oedd atal goresgyniad a chadw ysbryd y bobl yn uchel. Golygai sensro newyddiaduraeth yn ogystal â llythyron o'r ffrynt. Ni châi'r wasg adrodd ar symudiadau lluoedd milwrol gan y gallai gwybodaeth o'r fath gynorthwyo'r gelyn. O bwysigrwydd arbennig roedd y cymal a nodai'r bwriad, drwy'r ddeddf, o 'atal lledaenu adroddiadau ffug neu adroddiadau a allai achosi annheyrngarwch i'w Fawrhydi neu ymyrryd â llwyddiant lluoedd Ei Fawrhydi ar dir neu ar fôr neu niweidio perthynas Ei Fawrhydi â grymoedd tramor'. Gallai unrhyw un a dorrai'r rheolau hyn wynebu cael ei ddienyddio. Yn wir, fe ddienyddiwyd deg o dan y ddeddf.

Beth bynnag, listio wnaeth Ellis. O'r Blaenau aeth i Landudno, a diddorol nodi i Henry Mostyn, Cadlywydd yr 17eg Bataliwn, eu galw ynghyd ar un o feysydd Neuadd Bodysgallen rywbryd yn 1915 i orymdeithio'n gyhoeddus. Mae'r llun ohonynt i'w weld yng Ngwesty Bodysgallen. Y tebygolrwydd yw fod Ellis yn eu plith. Mae'n bosibl iawn i'r llun gael ei dynnu ar achlysur gadael Llandudno.

Yn ystod eu cyfnod yng ngogledd Cymru, oedd yn cynnwys y Rhyl a Pharc Cinmel ger Abergele, doedd gan yr Adran fawr ddim adnoddau ymarfer na thrafnidiaeth. Oddi yno aeth y dynion i brif ganolfan yr Adran ar Hazeley Down yng Nghaer-wynt. Yma eto, prin oedd yr adnoddau. O ran hyfforddiant, gofynnwyd iddynt danio dau ddwsin o rowndiau ar y parthau tanio. Byddai milwr proffesiynol wedi gorfod tanio deg gwaith gymaint. O Gaer-wynt gadawsant, ymhen tri mis, am Ffrainc ar ddechrau mis Rhagfyr.

Roedd ar Fyddin Ffrainc angen atgyfnerthiad yn Verdun. Dechreuodd Pumed Byddin yr Almaen ymosod yno ar yr 21ain o Chwefror. Erbyn diwedd mis Mehefin roedd yr Almaenwyr wedi tanio 116,000 o sieliau nwy a rhai ffrwydrol gan ladd 1,600. Ers mis Ebrill roedd y Bumed Fyddin wedi tanio 38,000 o sieliau gan ddod o fewn tair milltir i Verdun. Yn y cyfamser roedd Brwydr y Somme wedi dechrau ar y 1af o Orffennaf a Byddin Prydain wedi colli ymron 20,000 o ddynion ac ymron 35,500 wedi eu hanafu erbyn diwedd y diwrnod cyntaf hwnnw.

Adran Dau

Y Drin

Atgofion Ellis

2

Gadewch i ni fynd yn ôl at atgofion Ellis a'i benderfyniad i listio ym mis Mehefin 1915. Nid yw'n cynnig unrhyw esboniad am ei benderfyniad. Ym Mlaenau Ffestiniog y'i cafodd ei hun yn gyntaf fel milwr, ardal gyfarwydd iawn iddo. Dywed fod llawer o'i gyd-filwyr yn fechgyn o'r Blaenau, Penrhyndeudraeth, Porthmadog, Dolwyddelan a'r cylch. A chawn ganddo esboniad pam roedd cymaint o wŷr priod yn ymuno: roedd y Llywodraeth yn talu'n dda at y gwragedd a'r plant, a'r dynion yn derbyn mwy nag a wnaent yn y chwareli.

Ond roedd llawer o'r sowldiwrs a listiodd yn rhy hen, meddai Ellis, ffaith y deuent i'w sylweddoli'n fuan pan fyddai angen rhedeg o gwmpas wrth ddrilio neu wneud ymarfer corff yng nghwmni 'rhyw lafnau fel ni o tua deunaw oed i fyny':

> *Ond nid oedd gobaith troi yn ôl. Roedd ar y Llywodraeth ormod o eisiau milwyr, a rhyw fath yn gwneud y tro am eu bod yn folyntiers. Bu yn edifar gan lawer. Ni feddyliwyd y byddai* [y rhyfel] *wedi dal cyhyd, ac yn bron i bobman ledled y byd.*

Cawn Ellis yma felly'n datgan ei amheuon cyntaf ynghylch ei benderfyniad i listio. O'r Blaenau câi'r dynion yn achlysurol fynd adref am ysbaid. I Ellis golygai hynny ddal y trên wyth yn y bore a mynd yn ôl ar y trên tri, neu weithiau ar drên y gweithwyr, os na fyddent ar 'route march', hynny ar ddydd Iau neu ddydd Gwener. Byddai'r gorymdeithio hwnnw'n golygu cerdded rhwng ugain a dwy filltir ar hugain yn cario pac llawn 76 pwys ynghyd â reiffl:

Ellis a Margaret cyn iddo gychwyn am faes y gad

> *Byddai amryw wedi cloffi, eu traed yn mynd i frifo. Eraill wedi blino, yn enwedig y bobl mewn oed. Byddem ninnau, y rhai ieuengaf, yn falch iawn o weld ein gwelyau y noson yma. Credaf mai tua dau fis y buom yn Blaenau Ffestiniog a symud i Landudno. Roedd Llandudno yn lle braf iawn am ei bod yn haf. Biletio yn y tai oedd ein Bataliwn ni, y 17th Royal Welsh Fusiliers.*

Cawn ganddo hanes ei ymweliadau â Phen y Gogarth a'r goleudy. Byddai ar ddyletswydd yn cerdded y bît rhwng y goleudy a'r pier neu Draeth y Gorllewin, a fyddai'n cymryd dwyawr yn ôl ac ymlaen, gydag un milwr ar ddyletswydd yn ystod y dydd a dau fin nos. Golygai ddwyawr ar ddyletswydd a phedair awr i ffwrdd yn eu tro. Eu gwaith fyddai gwylio na laniai cwch dieithr ac na wnâi neb dynnu lluniau heb awdurdod. Un nos trawodd ar ferch ifanc ger yr Happy Valley yn tynnu lluniau. Bu'n rhaid cipio'r camera

Ellis yn ei lifrau cyn cyrraedd uffern Mametz

oddi wrthi a chymryd ei henw a'i chyfeiriad. Achosodd hynny gryn ofid iddi. Yn dilyn pythefnos ar ddyletswydd fel hyn dychwelodd at ei fataliwn ar gyfer mwy o ymarfer.

Ymhen mis, caiff brofiad annisgwyl. Ar ganiad y corn, gelwir ef a'i gyd-filwyr ynghyd a'u hanfon ar ruthr i'r Pencadlys. Cyn pen hanner awr roedd tref Llandudno dan warchae, wedi ei hamgylchynu gan filwyr fel na châi neb fynd allan na dod i mewn. Y rheswm am yr argyfwng oedd gwybodaeth fod dau ysbïwr Almaenaidd yn y dref. O ganlyniad i'r gwarchae, daliwyd y ddau yn ystod yr oriau mân yn y St George Hotel.

Cawn ganddo wedyn hanes digwyddiad a'i temtiodd un nos Sadwrn i fynd yn 'AWOL, sef yn absennol heb ganiatâd. Mae'n cyfarfod â chyfaill o filwr o'r hen fro ar y stryd yn Llandudno:

Yn ystod yr amser fe gefais fy nhemtio gan hen gyfaill i mi, Ellis Thomas, mab Ellen ac Ellis Thomas o Ynys Thomas gynt ond wedi dyfod i fyw i Tŷ Llwyd Terrace. Roedd Ellis wedi priodi ers dipyn o wythnosau a hiraeth mawr wedi dod drosto. Gofynnodd i mi ar y stryd a fuaswn yn dyfod adre gydag ef. Bûm rhwng dau feddwl ac yn dal i gerdded gydag ef tua'r stesion. Roedd yn benderfynol o fynd ac yn dal i gymell i minnau fynd i godi ticed, a'i bod jyst yn amser y trên. 'Nid ydwyf am ddyfod,' meddwn. 'Ac wrach, trwy fynd heb ganiatâd, y byddwn ar y "Black List". Ac nid oes arnaf eisiau dechre felly.'

Yr oedd yn digwydd bod yn nos Sadwrn, a thrwy addo y deuai yn ôl bore dydd Llun fe lwyddodd i'm tynnu. Ac i brynu ticed yr es. Dyma'r trên i mewn ac i ffwrdd â ni. Wedi cyrraedd Blaenau Ffestiniog doedd dim gobaith am y trên i'r Traws. Roedd y trên olaf wedi mynd, ac felly doedd dim [amdani] *ond cychwyn ar draed. Ac ni chawsom gynnig lifft gan neb. Cyrhaeddom tua un o'r gloch y bore a dyma luchio* [graean] *at ffenest Penygarreg lle'r oedd Nhad yn cysgu. Dyma agor y ffenest a gofyn beth oedd. Dywedais mai fi oedd wedi dyfod am fwrw'r Sul a daeth i agor y drws. Ac yna dyma ddechrau holi dipyn arnaf a daeth cwsg ataf. Yr oeddem yn cysgu yn yr un llofft. A daeth bore braf ac mi aethom allan am dro ar ôl cinio. Pan ar y llan cyfarfûm â Davies PC.*

Roedd y plismon wedi derbyn gwybodaeth fod Ellis yn absennol heb ganiatâd. Ond pe dychwelai fore dydd Llun yn brydlon, meddai'r plismon, fe fyddai'r gosb yn ysgafnach. Fore dydd Llun yn brydlon roedd yr heddwas yn yr orsaf yn disgwyl am y ddau Ellis. Mor emosiynol oedd gwraig ei gyfaill fel y'i cafodd hi'n anodd gollwng gafael ar ddrws y trên. Yn Llandudno cyfarfu Sarjant a Gwarchodwr â'r ddau a'u hebrwng i'r 'Guard Room' ac yna, y bore wedyn, dyma nhw o flaen eu gwell. Gan mai hon oedd eu trosedd gyntaf, cawsant gosb ysgafn. Cyfyngwyd hwy i'r barics am wythnos. Cyn hir symudwyd y dynion i'r Rhyl ac yna i Barc Cinmel.

Ymhen ychydig wythnosau galwyd pawb ynghyd ar gyfer parêd arbennig, pan hysbyswyd hwy o'r posibilrwydd y câi eu bataliwn ei chyfuno â thair bataliwn arall o'r Ffiwsilwyr i greu'r 38ain Adran o'r Ffiwsilwyr Cymreig. Roedd tair bataliwn wedi eu clustnodi eisoes ac roedd angen pedwaredd. Dewiswyd yr 17eg er mai honno, medd

Ellis, oedd y fataliwn ieuengaf. Tybed ai hwn oedd y parêd ar gaeau Bodysgallen y cyfeiriwyd ato'n gynharach? Os hynny, roedd Lloyd George yn bresennol yno.

Daeth gorchymyn yn fuan i symud i Gaer-wynt, tref a fyddai'n ganolfan i'r Adran newydd, y 38ain. Roedd parthau ymarfer saethu ar Wastadedd Salisbury. Dengys cofnodion swyddogol yr Adran fod y gwersyll yn sefyll ar Hazeley Down. Gwersyll transit oedd hwn a godwyd yn 1915 ar 105 erw o dir. Roedd yno le i 6,510 o filwyr, a stablau ar gyfer 1,718 o geffylau. Yno câi'r dynion ymarfer saethu ar feysydd tanio Larkhill a Bulford. Dyma ddywed Ellis:

> *Yr oeddwn wedi bod yn y fyddin am ryw bum mis erbyn hyn a dyma yr olwg gyntaf ar Wlad y Sais. A golwg ar Salisbury Plain a dechrau 'real soldier's life'. Yr oedd 'huts' yn Winchester Camp ond 'tents' yn Salisbury Plain a dim ond un blanced, a gorwedd ar y tir. Dysgu saethu bob dydd.*

Yn ôl cofnodion y 38ain eto, er nad yw Ellis yn cyfeirio at hynny, ymwelodd y Frenhines Mary â'r milwyr ar Wastadedd Salisbury. Yna, ar ôl pythefnos yn unig o ymarfer saethu anfonwyd Ellis ac eraill yn ôl i Gaer-wynt i gyflenwi yn lle criw oedd i dreulio ysbaid gartref cyn mynd drosodd i Ffrainc. Dewiswyd Ellis i fod yn *Batman* i'r *Adjutant*, sef gwas personol i'r swyddog agosaf at y Cyrnol. Roedd hyn yn bluen yn ei gap. Ond nid oedd yn hapus iddo dderbyn y fath ddyrchafiad:

> *Ni hoffais y gwaith hwn, am yn un peth roedd angen glanhau ei ystafell, gwneud ei wely, glanhau ei esgidiau a'r pethau hynny. Yr oedd y swydd ynddi ei hun yn iawn. Yr oeddwn yn gyfarwydd â'r pethau hyn. Hwyrach ei fod ychydig yn gaeth, ond nid oedd rhaid cwyno am hyn, yn enwedig yn y fyddin. Y*

peth a'm gwnaeth yn annifyr oedd ei fod yn gadael pres ar hyd yr ystafell. Nid oeddwn yn leicio'r arferiad hwn ganddo. I mi oedd yn cael ond swllt y dydd o bres, yr oeddwn yn ei deimlo yn demting ac nis gallwn fod yn hapus. Ofnwn mai fy mhrofi ydoedd.

Mynegodd ei anfodlonrwydd wrth y swyddog ac fe ymddiheurodd hwnnw gan ofyn i Ellis faddau iddo am y fath ffolineb ar ei ran. Cyfaddefodd y byddai'n dod i mewn weithiau wedi cael tipyn o ddiod ac esboniodd ei arferiad o dynnu ei bres o'i boced bob nos gan mai dillad eraill fyddai ganddo yn ystod y dydd. Yn wir, aeth y swyddog mor bell ag erfyn ar i Ellis barhau fel *Batman* iddo, ac os deuai o hyd i unrhyw bres yn y dyfodol, yna câi eu cadw. Atgoffodd Ellis y byddent yn gadael am Ffrainc yn fuan ac anogodd ef i barhau yn y swydd. Ond gofyn am gael ei ryddhau o'r swydd wnaeth Ellis er mwyn bod gyda'r hogiau. A dyna, meddai, fu cymryd cam gwag. Profodd, meddai, yn gamgymeriad mwyaf ei fywyd. Nododd yn ei gronicl ei gam gwag:

Paratoi at ryfel. Y 38ain Adran yn ymgynnull cyn gadael am Ffrainc.

Gallaf ddweud, fel y sylwais lawer tro, pan yn Ffrainc, ni fuaswn wedi gweld y 'trenches' o gwbl. Ni fuaswn wedi bod yn nes na rhyw filltir atynt. Dyna fel y bu, a phan es i ymuno â'r bechgyn, yr oeddwn wedi colli fy 'leave' cyn mynd drosodd. Yr oeddym i fynd o fewn wythnos, a'r bechgyn oedd ar 'leave' yn cael eu galw'n ôl, rhai ond bron wedi cyrraedd adre. Dyma ddydd ffarwelio â'r hen wlad, a phawb wrthi'n hel eu pac at ei gilydd i fod yn barod i fynd ar y trên i Southampton.

Yno yr oedd y llong yn cael ei llwytho. Yr oeddem oll ar y llong erbyn wyth o'r gloch. Roedd yn nos Sadwrn, a'r nos Sadwrn olaf i filoedd, ac i fwy na thri chwarter y 38th Welsh Division.

Yn ôl rhai ffynonellau, mae'n bosibl iawn mai'r llong dan sylw oedd y rhodlong stêm yr *SS Margarette*. Disgrifia Ellis yn ddramatig y llong yn gadael tir, yn ddistaw a thawel i ddechrau cyn cael ei hysgwyd yn arw gan luchio'r dynion o ochr i ochr:

Deallais ei bod yn storm ac nad oeddwn fawr o longwr. Fel llawer arall, yr oeddem yn dechrau mynd yn sâl. Yr oeddem mor sâl fel yr oeddem bron yn dymuno i'r hen long fynd i lawr a gorffen amdani. Roedd y cwbl a oeddem wedi ei fwyta wedi dyfod i fyny. Trwy'r cwbl cysgasom yn drwm a phan ddeffrowd, roedd yr hen long yn y porthladd yn Le Havre.

Nid oedd amser i edrych fawr o gwmpas. Dyma ddechrau martsio trwy hen dref fudr iawn, a golwg arw a blêr a thlawd ar y trigolion. Cyraeddasom y 'Rest Camp' wedi trafaelio rhywle o gwmpas deng milltir. Byddai milltir France yn faith iawn. Tebyg fod y wlad yn wastad y rhan fwyaf, a buasent yn galw'r hyn alwem yng Nghymru'n foel neu'n fancyn yn fynydd.

Disgrifia'r gwersyll fel casgliad o bebyll gwyrdd a brown. Wedi bwyta a chael noson o gwsg o dan un blanced, a chysgu 'ar y ddaear frown', ymlaen yr aethant drwy wahanol bentrefi. Disgrifia'r Ffrancwyr eto fel pobl fudr, llawer ohonynt yn mynd heibio yn gwthio wagenni ysgafn. Gorymdeithiai'r milwyr tua ugain milltir y dydd gan nesáu at y ffin â Gwlad Belg, a hynny'n dod yn amlwg yn iaith a gwisg wahanol y trigolion. Yno y sylweddolodd Ellis effaith ymosodiad sydyn yr Almaenwyr ar Wlad Belg. Cawn wedyn ddisgrifiad o ddigwyddiad ysgytwol. Wrth iddynt fartsio heibio rhwng dwy fferm, gwelsant filwyr oedd yn perthyn i'r Magnelwyr Brenhinol. Prysurodd rhai ohonynt draw am sgwrs. Dechreuodd un o'r milwyr grio a gweiddi ar Ellis. A chawn yma hanesyn torcalonnus:

> *Hwnnw oedd Robin Alec, a fu'n gwasnaethu yn Nhyddyn Bach. Roedd y peth yn rhyfadd. Roedd yn rhyfadd ei weld o, Robin Alec o bawb yn crio felly ac yn cydio yn sownd ynom a methu â gollwng. Roedd Robin am ddod gyda ni, gan siarad a holi a methai â throi'n ôl am tua milltir, mor falch yr oedd o'n gweld am nad oedd Cymro yn ei lot ef. Deallasom nad oeddym ymhell iawn o'r ffrynt.*

Wrth nesáu at y ffrynt, clyw Ellis synau'r gynnau mawr yn y pellter. Eu cyrchfan yw pentref bach ar y ffin â Gwlad Belg. Cânt groeso gan y trigolion, er bod yna olwg gynhyrfus arnynt. Geiriau a glywant yn aml yw 'British, good; Germans, no good'. Maen nhw'n ymbilio am fwyd, ond does dim digon gan y milwyr i'w rannu.

Yno y gorffwyswyd am bedwar diwrnod. Roedd hi'n drydedd wythnos mis Rhagfyr. A dyma gyrraedd y 'Reserve Line' a'r gynnau mawr yn tanio ac yn chwydu sieliau gwag o gwmpas y lle. Ar y dydd Sadwrn cyn y Nadolig cânt eu hunain ar gyrion tref wag Laventie, sydd rhwng Béthune a Lille. Roedd y dref wedi ei chwalu a phawb o'r trigolion wedi ffoi. A dyma lanc ifanc o'r Gwarchodlu Cymreig yn cyrraedd i'w harwain tua'r ffosydd. Dechreuodd y dynion holi ei gilydd beth fyddai eu tynged:

> *Clywed y dynion hynaf yn siarad ac yn gofyn faint ohonom gâi ddod allan o'r fan yma, tybed? A beth fuasent yn ei ddweud gartref pe buasent yn gwybod ein bod ni'n mynd am y trenshys? Nid oeddem ni'r ieuanc yn ystyried, a hwyrach ddim yn meddwl yr un fath â hwy. Sut bynnag, aeth y 'messenger' â ni at y trenshys ... Dyma droi o'r ffordd ar hyd cae gyda'r gwrych* [rhyngom] *a'r gelyn ... Ymhen ychydig roeddem yn mynd i drensh dwfn o'r golwg. Wedi mynd rhyw hanner milltir yr oeddem yn y trenshys a'r reiffls yn tanio ac ambell 'Bing!' bwled yma a thraw. Sut bynnag, yr oeddem wedi cyrraedd a phawb yn mynd i'w le.*

Yn y ffosydd esboniwyd wrthynt sut a phryd i edrych draw at y gelyn yng nghanol y tanio reiffls a goleuadau'r 'flares' dros Dir Neb. Treuliwyd Nadolig 1915 yn y ffosydd, cyfnod o naw diwrnod. Dyma pryd y gwelodd Ellis y gwahaniaeth rhwng y milwyr proffesiynol llawn-amser ('milwyr y Brenin', medd Ellis), sef y Gwarchodlu, a'r milwyr cyffredin. Y gwahaniaeth mawr, meddai, oedd disgyblaeth. Pan alwai'r rhain enw milwr cyffredin, rhaid fyddai ufuddhau iddynt.

Symudwyd Ellis a'i griw ymlaen tuag at rwydwaith o ffosydd. Cyfeiriai'r dynion at y fangre honno fel 'Ghiangzi', meddai. Mae'n bosibl mai Givenchy oedd ganddo mewn golwg, pentref y bu ymladd drosto mor gynnar â diwedd 1914. Yno doedd wiw i neb godi ei ben, meddai, rhag ofn sneipers. Cuddiai'r rheiny ar ben coedydd ac mewn hen furddunnod. Yn ôl Ellis roedd gan y rhain well 'glasses' (offer telesgopig) ar eu reiffls a byddent yn 'difa llawer' yn ystod golau dydd:

> *Hefyd byddem yn gorfod mynd i 'No Man's Land' i luchio 'hand grenades' at y Jyrmans a hwythau'n gwneud yr un peth i ninnau. Dyma beth fyddem yn ei alw'n 'nerve testing'. Pan fyddech wedi gallu dod yn ôl i'r trenshys byddech yn crynu i'ch traed nes y byddech yn ysgwyd i gyd. Yna fe gawsech ryw hanner llond mwg o rym i'ch sadio a'ch cynhesu. Yno hefyd y cawsom yr eira cyntaf ond nid oedd yn eira fel y gwelsom yn yr hen wlad.*

Mae'n cyfeirio wedyn at fynd drwy Richebourg (Richebourg St Vaast), 'lle go eger'. Roedd y pentref hwn wedi ei wastoti, yn ôl haneswyr, gan y bombardiad. Erbyn hyn roedd Ellis yn y llinell flaen, mewn man a elwid gan y dynion yn 'Whizbang Corner' oherwydd y perygl oddi wrth sieliau'r gelyn. Enw ar y sieliau cyflymder uchel oedd 'Whizbangs' ar gyfrif eu sŵn, sef eu sïo wrth hedfan a'r ergyd wrth ddisgyn. Wrth gropian i nôl dogn o fwyd, ef a phedwar arall, clwyfwyd Ellis yn ei ben gan shrapnel o un o'r sieliau hyn. Ni chlwyfwyd ef yn ddifrifol er iddo orfod derbyn triniaeth.

Wrth orwedd yn y 'Dressing Station' bu'n sgwrsio â milwr arall am eu sefyllfa. Hiraethai'r ddau am gartref ac ildiodd Ellis i'r demtasiwn – 'hen feddwl direidus' – o rwbio baw yn ei glwyf i wneud iddo ymddangos yn fwy llidus fel y câi ei anfon adref. Sylweddolodd un o'r nyrsys iddo wneud hynny a dywedodd y byddai'n rhaid iddi adrodd hynny wrth y meddyg. Rhybuddiwyd Ellis gan hwnnw i beidio byth â gwneud hynny eto neu fe allai orfod wynebu Llys Milwrol. (Er nad yw'n dweud hynny, gallai gael ei gyhuddo o ymwrthod â'i ddyletswydd, gydag oblygiadau difrifol.) Mae'r cyfaddefiad hwn yn dweud llawer am onestrwydd Ellis heb sôn am ei ddadrithiad gyda'r rhyfel. Ond yn dilyn triniaeth gan y nyrs, a chael ymolchi a newid ei ddillad isaf, yn ôl yr aeth Ellis ymhen wythnos i'r rheng flaen. A chawn ganddo deyrnged annisgwyl i natur y gelyn, sef y Gwarchodlu Prwsiaidd:

> *Doedden nhw ddim yr un fath â Guards y wlad yma. Dynion mawr cryfion ac yn cadw fyny i'w henwau yn bur dda. Nid oedd dim seibiant gyda'r rhain, nos na dydd. Dyma beth allech ddweud oedd yn 'real' Germans ac yn prisio dim ar eu bywydau. Mentro i 'No Man's Land' o hyd.*

Nid Ellis oedd yr unig un i gofnodi'r fath ddisgrifiad ohonynt. Cawn hefyd gan Robert Graves yn ei atgofion rhyfel yn *Goodbye to All That* sylw i faint corfforol y milwyr Prwsiaidd. Ond roedd y Prwsiaid hefyd yn ymwybodol o bresenoldeb y Cymry, medd Ellis, wrth iddo ef a'i gyd-filwyr danio arnynt 'am eu bod yn rhyfygu lawn digon yn aml'. Nid yw'n ymhelaethu ar hyn.

Deuai'r lle â meddyliau i Ellis am filwyr eraill o'r hen fro. Credai mai yno y clwyfwyd Now Tom, a gollodd ei lygad. A chredai mai yno y collodd Tom Morris, Llys Awel ei fywyd. Yno hefyd yr anfonwyd Griffith Llewelyn Morris, a oedd wedi gwneud cais am gael bod gyda'i dad, hwnnw'n 'Orderly' yn y prif wersyll. Gwrthodwyd ei gais.

Llechu mewn hen adeiladau fferm, sef cytiau moch, roedd Ellis a'r lleill, a'r gelyn yn eu bombardio'n rheolaidd. Amheuid fod ysbïwr yno yn anfon gwybodaeth i'r gelyn. Amheuai Ellis wraig y fferm gan na châi'r tŷ ei daro fyth. Yn wir, un noson gwelwyd golau'n fflachio o un o lofftydd y tŷ i gyfeiriad milwyr y gelyn. A phrofwyd fod sail i'w amheuaeth. Arwydd oedd y golau fod yna filwyr Prydeinig yn y cyffiniau, a gwraig y tŷ'n gofalu bod yr adeilad yn wag erbyn y cychwynnai'r bombardio. A chawn ganddo eto deimladau digon chwithig am y Ffrancod. Doedden nhw, meddai, ddim yn bobl i'w trystio.

Ond doedd fawr ddim amser i hel meddyliau. Yn ôl â hwynt i'r trenshys, a oedd 'yn igam-ogam fel neidr'. Roedd sŵn 'dobio fel ag hefo morthwyl', meddai, dan y ddaear. A dyma sylweddoli mai sŵn y cloddwyr o'r ddwy ochr oedd hwn wrth iddynt durio o dan y ffosydd ac yna ceisio eu chwythu i fyny. Yn wir, un noson bu ffrwydrad a gladdodd Ellis a saith arall hyd at eu pennau yn y pridd.

Daeth y gwanwyn yn ei dro. Ond collodd bartner, meddai, sef William Arthur Jones o Ffestiniog a saethwyd gan fwled strae wrth iddo ddychwelyd gyda chriw oedd yn cludo dognau bwyd i'r lleill:

> *Un o'r bechgyn neisiaf oedd Bill, tawel a charedig a bachgen crefyddol iawn. Gallaf ddiolch llawer fy mod i'n lwcus cael bachgen fel Bill yn gyfaill. Gallaf ddweud yn bendant: cyfaill a lŷn yn well na brawd. Dyna fy mhrofiad wedi colli Bill. Bu'n gwasanaethu yn Siop Breimer, Blaenau Ffestiniog cyn ymuno â'r fyddin. Ni fûm yr un fath ar ôl ei golli a bu hiraeth mawr ar ei ôl.*

Caiff achos unwaith eto i amau didwylledd y Ffrancwyr. A hwythau wedi eu biletio ar fferm, cawsant helynt gan wraig y fferm a oedd yn gomedd iddynt gael dŵr glân o'r pwmp. Trodd y bechgyn arni gan gymryd y dŵr a llawer o'i heiddo. Ac yma daw natur y gwas fferm yn ôl i Ellis:

> *Erbyn hyn roedd y gwanwyn yn dechrau harddu'r wlad. Edrychai'n ffrwythlon iawn a'r tir yn tyfu'n wyrdd. Y peth a dynnai fy sylw'n arw iawn oedd y ceffylau, rhai gleision a gwyn, ceffylau corff trwm ac asgwrn glân heb fawr o facsen. Meddyliais am y tro roeddwn yn gweithio ar fferm yn y Bala,*

a gweld y ceffylau smartia a welais erioed. Byddent yn gorwedd allan ac yna'n codi, yn neidio a lluchio'u traed. Roeddwn wrth fy modd yn eu gweld yn mwynhau eu hunain yn niwl y bore.

Deuant wedyn wyneb yn wyneb a'r gelyn; Bafariaid, credai Ellis, oedd y rhain a milwyr y ddwy ochr yn syllu ar ei gilydd 'uwchlaw'r parwydydd'. Gwaeddodd rhai ohonynt yn Saesneg, 'We don't wnat to fight! Don't fire, and we won't fire!' Ac felly y bu, meddai. Wedyn dyma Fataliwn y Bantams yn cyrraedd, milwyr byr, ychydig dros bum troedfedd o daldra. Fel arfer roedd gofyn i filwyr fod dros bum troedfedd a thair modfedd. Yna ffurfiwyd Bataliwn 1af ac 2il Fataliwn Penbedw i filwyr o dan y taldra gofynnol, a ddatblygodd i fod y 15fed a'r 16eg Bataliwn o Gatrawd Swydd Caer. Amlygodd y Bantams eu hunain ym Mrwydr Arras 1917. Yna crëwyd dwy Adran ar eu cyfer, y 35ain a'r 40fed, cyn iddynt gael eu chwalu ym Mrwydr Bourlon. Wrth ymyl y Bantams teimlai Ellis ei fod ef a'i gyd-filwyr yn ymddangos yn dal, ond roedden nhw'n teimlo'n hynod fyr ochr yn ochr â'r 'Guards'.

Yna cawn ddisgrifiad o olwg gyntaf Ellis o uffern:

[Roeddem] *wedi trafaelio ychydig ddyrnodau i gyffiniau Metz, tref gweddol fawr, ond nid oedd y Germans wedi gwneud difrod mawr arni. I mewn ac allan y buom hyd ddiwedd Mehefin. Roedd yna ymladd reit ffyrnig ar hyd y mis. Allan am rest yr oeddwn pan ddaeth galwad sydyn un noson, a buom yn trafaelio drwy'r nos a dipyn o'r dydd ... Erbyn y bore roeddem yn wynebu rhesi o goed mawr ar fryn, a gelwid y lle yn Mametz Wood.*

Nesaf, cawn ddisgrifiad o ddigwyddiad sy'n gwbl gyson â disgrifiadau llygad-dystion eraill a fu'n brwydro ym Mametz:

Yma yr oedd cae gwastad cyn cyrraedd y coed, a'r Germans yn tanio o bob cyfeiriad. Roedd yma le pur eger. Bu rhaid mynd i 'No Man's Land' bob nos. Sut bynnag, y drydedd noswaith fe gawsom ugain o brisners a dau 'Officer'... Cawsom ar ddeall fod un o'r 'Officers' wedi cyfaddef na allem byth gymeryd y coed yr ochr yna a'u bod wedi paratoi y lle yn gryf iawn. Roedd y Germans yn bwriadu mynd am Baris.

Mae disgrifiadau Ellis yn ein galluogi i roi dyddiad i'r digwyddiad arbennig yna, sef y 10fed o Orffennaf. Digwyddodd y frwydr yn ysbeidiol rhwng y 1af a'r 12fed o Orffennaf, ac yn arbennig rhwng y 7fed a'r 11eg. Aiff ymlaen i adrodd i gyngor y swyddog Almaenig gael ei dderbyn. Daeth gorchymyn i Ellis a'i griw symud i ymosod o gyfeiriad arall. Ei gwestiwn yw, 'Pam y ni? Nis gwn.' Cwestiwn rhethregol. Brynhawn drannoeth daeth gorchymyn i gymryd y coed, a hynny cyn y bore. Ymddengys fod yr hyn sy'n dilyn wedi digwydd yn hwyr ar y 10eg ac yn gynnar ar yr 11eg:

Gallaf ddweud i'r frwydr ym Mametz Wood fod yn un o'r rhai mwyaf dinistriol ar fywydau, hi a Verdun, yn ystod y Rhyfel Mawr. Cafodd tri chwarter ein dynion ni eu lladd neu eu clwyfo. Tua saith o'r gloch dyma'r bombardment yn dechrau. Dywedir fod yna tua dau gant o ynnau mawr. Dyna lle'r oeddynt i gyd yn tanio ar y coed, a ninnau yn y trenshys yn disgwyl yr ordors i fynd trosodd. Tua hanner nos dyma Sarjant â rỳm i bob un. Ymhen ychydig dyma nhw yn dechrau lluchio 'liquid fire' i'r coed. Yna roedd y coed yn dechrau cynnau a'r lle yn wenfflam. Roedd cymaint o wres yn y lle yr oeddym fel na fedrem ddioddef yno. Dechreuodd yr ochr nesaf atom farweiddio, a dyma ddechrau lluchio siels a licwid yn fwy i ganol y coed. Chwech o'r gloch y bore, a'r dydd yn gwawrio a dyma ni am y coed. Y rhyfeddod mawr oedd fod neb yn fyw yno ar ôl y fath dân a bombardment.

... Fel yr oeddym yn mynd fwy i'r coed, roedd cannoedd wedi marw am eu bod wedi gollwng gas i'r coed tua phedwar o'r gloch y bore. Yr oedd llawer o'r Germans yn hongian ar y coed wedi eu gasio ... Dyma y lle mwyaf dychrynllyd a welwyd erioed, mi gredaf. Ni fuasech â syniad am y fath le. Roedd miloedd wedi marw, rhai yn hongian o'r brigau, eraill yn penlinio. Clywais fechgyn eraill yn griddfan a doedd fawr o obaith am help. Dyma ddydd bythgofiadwy i lawer.

Yna dyma siel yn ffrwydro gerllaw, siel 'Coal Box', a hynny am y byddai mwg du yn codi o'r ffrwydrad. Clywai Ellis fechgyn yn griddfan. Ac yna, o godi ar ei eistedd sylweddolodd ei fod yntau wedi ei glwyfo:

Gwelais y gwaed yn llifo o fy ngwyneb; ceisiais rwymo fy ngwyneb â'r 'first aid' oedd yn fy mhoced ... Dal i fynd er yn teimlo fy hun yn gwanychu oherwydd fy mod yn colli gwaed yn bur arw a'r pen yn brifo. Daeth 'full stop' a bu yn rhaid eistedd. Ceisiais gychwyn wedyn wedi hir ysbaid. Ond methu roeddwn a bu yn rhaid gorwedd. Braidd nad oedd yn dechrau tywyllu a daeth dau 'stretcher bearer' heibio ac fe ddechreuwyd fy nghario, nis gwn am faint o ffordd, pan gyrhaeddwyd y 'First Dressing Station'. Yr oedd yn tywyllu a fy ngwyneb i'w deimlo yn chwyddo. Braidd nad oeddwn yn gweld ond gydag un llygad fel yr oedd yn chwyddo. Yna fe'm rhoddwyd ar lawr yn ymyl rhai eraill, rhai yn cwyno, eraill yn griddfan oddi wrth eu clwyfau.

Daeth meddyg draw a dweud wrth yr ymgeleddwyr, wrth edrych ar y milwyr clwyfedig a orweddai o gwmpas y lle, am ddewis y rhai oedd yn debyg o oroesi:

'Take him and him and him. But leave him [Ellis] for the time

being. He might not come through it. He has lost a lot of blood. His pulse is not too strong either.'

Dyma ymateb Ellis:

Nis gallwn ddweud dim am fod fy ngheg wedi chwyddo a gwaed ynddi. Yr oeddwn yn cynhyrfu â mi fy hun. Ond doedd dim i'w wneud ond aros am gyfle arall. Roedd yr ambiwlansys a'r lorris yn cario y rhai oedd heb frifo'n arw. Daeth cyfle arall, a'r Doctor bach ei hun y tro hwn. Dyma ddweud am fy rhoi yn yr ambiwlans i'r 'First Dressing Station'.

Ac felly cefais fynd o sŵn y rhyfel.

Brwydr Coed Mametz

Gadewch i ni'n awr edrych yn fanylach ar Frwydr Coed Mametz drwy lygaid tystion eraill a gofnododd eu profiadau, a thrwy lygaid haneswyr rhyfel. Ystyrir y frwydr gan rai haneswyr fel un y gellid ei gosod, fel trychineb Cymreig, ochr yn ochr â thrychinebau Aber-fan, Gresffordd neu Senghennydd. Yma, meddai'r Doctor Robin Barlow o Brifysgol Aberystwyth, fel yn y tri achos arall, collwyd bywydau yn ddiangen, a hynny ar raddfa enfawr, trychineb a ddaeth yn rhan o'n seice cenedlaethol fel Cymry.

Er hynny, yn union wedi diwedd y Rhyfel Mawr doedd dim sôn am Frwydr Coed Mametz fel y cyfryw ymhlith cofnodion swyddogol hanes y brwydro. Cynhwyswyd y frwydr yn hytrach o fewn i hanes Brwydr Albert. Saif y dref honno tua thair milltir o bentref Mametz. Mae Coed Mametz lle bu'r brwydro mwyaf i'w gweld o hyd tua mil o lathenni i'r gogledd-ddwyrain o'r pentref. Nid oeddid yn ystyried Brwydr Mametz yn ddigon arwyddocaol hyd yn oed i gael ei nodi fel Digwyddiad Tactegol. Dim ond wedyn, yn dilyn cyfraniadau hanesol a llenyddol rhai o'r milwyr a'r swyddogion a fu'n ymladd yno, yr enillodd ei lle fel un o'r brwydrau ffyrnicaf yn hanes ymgyrch y Somme. Sicrhaodd Robert Graves, Siegfried Sassoon a Frank Richards ynghyd â'r Cymry David Jones a Llewelyn Wyn

Griffith a'r artist Christopher Williams, ac yn ddiweddarach y bardd a'r awdur Owen Shears, na châi'r hyn a ddigwyddodd yno byth mo'i anghofio.

Dengys cofnodion swyddogol i'r 38ain Adran golli ei milwr cyntaf yn Ffrainc nid mewn brwydr ond drwy ddamwain wrth ymarfer taflu bomiau llaw. Ei enw oedd Oakley Jenkins o Donyrefail. Clwyfwyd hefyd nifer o swyddogion yn y digwyddiad. Nodir i'r Adran fynd ymlaen am Neuve-Chapelle ac yna ddal y llinell rhwng Givenchy a Laventie. Yna, ar yr 11eg o Fehefin cychwynnwyd am y Somme.

Ymladdwyd Brwydr Coed Mametz ym mis Gorffennaf 1916, a hynny ar anterth Brwydr y Somme. Ac ym Mametz y profwyd y 38ain Adran Gymreig am y tro cyntaf yng ngwres y frwydr fel rhan o'r XVfed Corfflu. Roedd maes y frwydr yn ardal Picardy ar Gefnen Bazentin, safle o tua 220 erw, neu tua milltir o'r gogledd i'r de a thri chwarter milltir ar draws yn ei man lletaf. Ond gan fod y safle ar ddau lechwedd gyda phant rhyngddynt, golygai ddringfa i ba ochr bynnag fyddai'n ceisio cipio'r goedwig.

Yn y gwrthdaro roedd wyth brigâd yn rhan o'r cyrch, a hynny mewn ymosodiad gogleddol. Y disgwyl oedd i'r don gyntaf o ymosodwyr gipio'r goedwig o fewn ychydig oriau. Ond roedd milwyr yr Almaen wedi paratoi dros amser drwy gloddio rhwydwaith o ffosydd dyfnion. Cawn dystiolaeth gan rai a fu yno fod rhai ffosydd mor ddwfn â 40 troedfedd. Gosodwyd hefyd gadwyn o leoliadau strategol ar gyfer gynnau peiriant.

Roedd y bardd a'r awdur Siegfried Sassoon yn aelod o'r 7fed Adran o'r Ffiwsilwyr Cymreig a disgrifiodd y frwydr yn fanwl ac yn helaeth yn *Memoirs of an Infantry Officer*. Cofiai sut y bu iddo ef a'i gyd-filwyr symud ar draws y llechwedd agored gyda'r coed yn ymrithio ar y codiad tir gyferbyn, fforest drwchus o goed hynafol a phrysgwydd fel mur bygythiol o gaddug. A disgrifiodd y bardd Harry Fellows, yntau wedi profi gwres y frwydr, gymysgedd o goed godidog yn ymestyn i fyny i'r entrychion.

Gellid adnabod milwyr y 38ain Adran, neu Fyddin Lloyd George, fel y'i gelwid, wrth eu lifrai brethyn cartref llwyd a'u harwyddlun o'r Ddraig Goch. Fel y cawn wybod gan Ellis yn ei atgofion, cymharol dawel fu'r daith ar droed tua'r ffrynt. Yna symudwyd ymlaen o Givenchy tua St Pol am y Somme. Yn y cyffiniau hynny bu'n rhaid dioddef cawodydd o sieliau am wythnos gyfan. Taniwyd cyfanswm o filiwn a hanner o sieliau i gyd. Y bwriad oedd cipio ffrynt o ychydig dros ddeng milltir ar draws o Maricourt i Serre ac yna symud ymlaen tua'r dwyrain i gipio ail linell y gelyn rhwng Pozières a Grandcourt a thu hwnt. Byddai hyn yn caniatáu i'r gwŷr meirch symud y tu cefn i linellau'r gelyn, a hynny ar dir agored. Safai Coed Mametz felly rhwng y 38ain Adran a'u cyrchfan. Hynny yw, roedd i'r goedwig bwysigrwydd strategol. Ond teimlad y swyddogion Prydeinig er hynny oedd y medrid ei chipio heb fawr o drafferth mewn byr amser.

Ond erbyn hyn clywyd am gyflafan diwrnod agoriadol Brwydr y Somme ar y 1af o Orffennaf pan laddwyd 19,240 ac anafwyd 35,493 o filwyr, y colledion mwyaf yn hanes y Fyddin Brydeinig. Priodolir i'r Cadlywydd Haig ar ddiwedd y diwrnod gwaedlyd cyntaf hwnnw'r sylw, 'Diwrnod da o waith!' Ond er tegwch iddo, dylid nodi iddo ddadlau nad oedd gan y Fyddin Newydd ddigon o brofiad a bod y dynion wedi eu taflu i wres y frwydr yn llawer rhy gynnar. O dan bwysau gan y Ffrancwyr, gorfodwyd ef i anfon ei ddynion i Frwydr y Somme chwe wythnos yn rhy gynnar. A fyddai chwe wythnos ychwanegol o ymarfer wedi gwneud unrhyw wahaniaeth sy'n gwestiwn na ellir ei ateb.

Pan gyrhaeddodd y 38ain o St Pol er mwyn llenwi bwlch yn y llinell flaen yn union i'r gorllewin o Goed Mametz, roeddent eisoes yn flinedig a'u traed yn brifo'n arw ar ôl gorymdeithio am wythnos, yn ôl adroddiadau gan haneswyr. Ar ben hynny roedd hi'n glawio'n drwm a gwynt cryf wedi codi. Y bwriad oedd cipio'r fforest yn llwyr o fewn ychydig oriau'n unig. I'r chwith iddynt roedd yr 16eg ac i'r dde, y 13eg. Cymryd lle'r 7fed wnaeth y 38ain, ac fe gafwyd darlun manwl o'u hymddangosiad cyntaf gan Siegfried Sassoon:

> Roeddent, ar y cyfan, yn ddynion crablyd, ac wrth i mi eu gwylio'n cyrraedd yn ystod cymal cyntaf eu profiad mewn brwydr, cawn argraff o'u herledigaeth. Roedd swyddog platŵn bychan wrthi'n paratoi ei ddynion gydag arddangosiad dewr o hunanhyder. Er mwyn dangos rhyw gymaint o awdurdod, rhaid oedd rhoi gorchmynion o ryw fath er, mewn gwirionedd, nad oedd dim byd i'w wneud ond eistedd a gobeithio na wnâi hi lawio. Siaradai'n gwta â rhai ohonynt, a theimlwn eu bod fel criw o blant. Roedd pethau'n ymddangos yn wael i ddau gwmni dryslyd o'r fath, oedd yn cwtsio yn y Quadrangle [rhan o faes y frwydr] a'r garsiwn wedi ei orboblogi gan ein criw cymharol fychan ni. Wrth ddychmygu'r criw diymgeledd hwnnw yn eu khaki tan gyfnos y coed, gallaf ddweud i mi weld am y tro cyntaf pa mor ddall yw rhyfel wrth iddo ddinistrio ei ddioddefwyr. Roedd yr haul wedi machlud ar fy meddyliau rhyfygus a deallais gyflwr tynghedus y dynion cyffredin hyn, oedd wedi eu hanner hyfforddi, ac a anfonwyd i fyny i ymosod ar y Goedwig.

Dylid cofio mai milwyr cymharol ddibrofiad oedd y mwyafrif mawr o aelodau'r 38ain. Credent hefyd, fel eraill oedd yn brwydro neu'n disgwyl yn hyderus yn ôl gartref, y byddai'r cyfan drosodd o fewn wythnosau, yn wir, erbyn y

Nadolig. A Nadolig 1914 oedd hwnnw. Ond fel y rhelyw o Fyddin Newydd Kitchener, roedd y milwyr yma ym Mametz yn brin o arfau, yn arbennig reiffls. Doedd amryw ohonynt ddim wedi eu hyfforddi i saethu bwled, heb sôn am danio at y gelyn. A dywedir fod yr ychydig reiffls oedd ar gael mor hen fel eu bod yn fwy o berygl i'r saethwyr nag y byddent i'r gelyn.

Yn eu hwynebu ar draws y llechwedd ger Mametz roedd catrawd elitaidd yr 11/Lehr, sef Gwarchodwyr Prwsiaidd y 3edd Adran a'r 311 /163ain Catrawd. Milwyr llwyr broffesiynol oedd y rhain gyda'r arfau diweddaraf. O 3edd Adran y Gwarchodlu Lehr y câi gwarchodwyr y Kaiser eu dethol. Yma dalient randir hawdd ei amddiffyn yn ddwfn yn y goedwig. Er bod gan y XVfed Corfflu dri dyn am bob un o'r Prwsiaid, roedd milwyr yr 11/Lehr wedi eu hyfforddi'n fwy trwyadl, yn llawer mwy profiadol ac wedi cael amser i atgyfnerthu eu safleoedd yn gadarn mewn ffosydd yn y coed. Ac roedden nhw'n meddu ar y gynnau peiriant Spandau dieflig.

Roedd y Brigadydd H. J. Evans wedi rhybuddio'i gyd-swyddogion rhag bod yn fyrbwyll. Byddai'n rhaid, meddai, rhoi blaenoriaeth i ddiddymu perygl y gynnau peiriant. Mewn sgwrs â'r Capten Llewelyn Wyn Griffith o Bencadlys y 15fed a'r darpar awdur, cyfaddefodd yr ofnai y gwnâi ei rybudd arwain at ei anfon adref am feiddio amau tactegau uwch-swyddogion. Ei sylw damniol am ei gyd-swyddogion oedd:

> Mae arnynt angen bwtsieriaid, nid Brigadyddion.

Cawn sylwadau deifiol gan Griffith ei hun am rai o'r uwch-swyddogion. Dywed am un Brigadier o'r enw Hickie mai ef oedd y dyn twpaf o bell ffordd iddo'i ganfod erioed. Yr ail dwpaf, meddai, oedd y Brigadier Price-Davies, enillydd

Croes Fictoria a'r *Distinguished Service Order* a Chadlywydd y 113eg Brigâd. Dywed mai'r rheswm y bu iddo ennill y fath anrhydeddau oedd ei fod yn rhy dwp i fod ag ofn.

Yn y goedwig, roedd milwyr yr Almaen wedi ymsefydlu yn y ffosydd mor gadarn nes i'r bombardiad gan yr ymosodwyr fod yn gwbl aneffeithiol. Y nod oedd cymryd darn o goedwig a elwid yn 'Hammerhead', ar gyfrif ei ffurf oedd fel pen morthwyl. I'r chwith roedd 'Death Valley'. I'r dde roedd 'Flatiron Copse'. Symudwyd ymlaen yn llwyddiannus nes dod o fewn dau can llath i'r nod. Yna taniodd dau o ynnau peiriant y gelyn. Rhwygwyd y milwyr oedd ar flaen y gad yn rhubanau. Rhwng bwledi'r gynnau peiriant a'r cawodydd o sieliau, lladdwyd neu anafwyd cannoedd o'r ymosodwyr cyn iddynt hyd yn oed gyrraedd cyrion y goedwig. Methodd ymosodiadau eraill trannoeth gan yr 17eg.

Yn yr ymosodiad cyntaf hwnnw lladdwyd 131 o filwyr a phum swyddog. Anafwyd 138. Yn wir, cafodd 400 yn gyfan gwbl eu lladd neu colli ar y diwrnod cyntaf. Disgrifiodd y Capten Griffith yr olygfa:

> ... Roedd dynion yn turio i'r ddaear gyda'u harfau cloddio wrth geisio sicrhau unrhyw orchudd posibl ... Roedd dynion clwyfedig yn ymlusgo yn ôl o'r gefnen a dynion yn ymlusgo ymlaen gyda ffrwydron. Ni allai unrhyw ymosodiad lwyddo ar y fath dir, gydag ysgubiadau o'r ffrynt ac o'r ochr gan ynnau peiriant cyfagos.

Bu ail ymosodiad am 11.00 gyda'r un canlyniad. Trefnwyd bombardiad a thrydydd ymosodiad ar gyfer 4.30. Yn dilyn glaw trwm roedd y ddaear fel cors a thorrwyd y llinellau teliffon. Ac ar ben y cyfan ni threfnwyd gorchudd mwg er mwyn cysgodi'r ymosodwyr. Yn ôl y Capten Wyn Griffith eto:

> Roedd hi bron yn hanner nos pan glywsom fod yr olaf o'n dynion wedi cilio o'r gefnen a'r dyffryn gan adael y tir yn wag ar wahân i gyrff y bu'n rhaid iddynt ddisgyn cyn profi i'n swyddogion y gallai gynnau peiriant amddiffyn llechwedd moel.

Gwireddwyd proffwydoliaeth y Brigadyd H. J. Evans am ffolineb y fath ymosodiad. Erbyn diwedd trannoeth roedd yr Adran yn ôl ble cychwynnodd ond ei bod erbyn hyn wedi colli 177 o filwyr a thri swyddog. Beiodd y Cadlywydd Douglas Haig y methiant, yn blwmp ac yn blaen, ar dactegau'r Uwch-gapten Cyffredinol Ivor Philipps. Cyhuddwyd ef o fod yn brin o fenter. Yn wir, ymwelodd Haig a'r Lefftenant Gadfridog Henry Rawlinson â Mametz yn bersonol. Diswyddwyd Philipps ganddynt a phenodwyd yr Uwch-gapten Cyffredinol Watts o'r 7fed i gymryd ei le. Gorchmynnwyd i hwnnw ymosod ddiwedd prynhawn y 10fed. Proffwydodd y Lefftenant Gyrnol Hayes:

> Fe wnawn ni gymryd y goedwig, ond fe gollwn ein bataliwn.

Er yr honnid mai am resymau milwrol y diswyddwyd Philipps, yn arbennig ei ddadl dros ddefnyddio bataliwn i ymosod yn hytrach na phlatŵn, sef tua thri dwsin o ddynion, gwleidyddiaeth oedd wrth wraidd y penderfyniad. Buasai Ivor Philipps yn Aelod Seneddol dros Southampton am wyth mlynedd ac roedd yn gyfaill mynwesol i'r Canghellor, Lloyd George. Yn wir, edrychai rhai uwch-swyddogion ar y 38ain ei hun fel creadigaeth wleidyddol. Ac ystyrid gwleidyddion gydag amheuaeth gan swyddogion milwrol. Oedd, roedd Philipps yn gymharol ddibrofiad. Ond y gwir amdani oedd nad oedd angen iddo fod yno. Gallasai fod wedi aros gartref i fyw bywyd esmwyth a breintiedig. Ond dewisodd fynd i'r gad.

Cyn cychwyn yr ymosodiad ofer, galwyd yr 16eg Ffiwsilwyr Cymreig at ei gilydd ar gyfer gwasanaeth crefyddol. Canwyd emynau. Dywedir i'r Cymry Cymraeg ganu 'Iesu, cyfaill f'enaid cu', ac i'r di-Gymraeg ganu 'Abide with me'. Fe'u hanerchwyd gan eu prif swyddog, y Lefftenant Gyrnol Ronald James Walter Carden. Meddai,

> Fechgyn, gwnewch eich heddwch â Duw! Fe wnawn ni gymryd y safle, ac fe fydd rhai ohonom na ddônt yn ôl. Ond ry'n ni'n mynd i'w gymryd!

Cadarnheir tueddiad y Cymry i ganu yn y ffosydd gan Robert Graves yn un o'i gerddi:

> Rough pit boys from the coaly South,
> They sang, even in the cannon's mouth;
> Like Sunday's chapel, Monday's inn,
> Their death-trap sounded with their din.

Clwyfwyd Carden yn ystod yr ymosodiad. Clymodd gadach ar ddarn o bren a'i chwifio fel anogaeth i'w ddynion ei ddilyn. Parhaodd i arwain ei ddynion nes iddo gael ei saethu'n farw. Unwaith eto cafwyd anhrefn llwyr. Meddai'r Capten Glynn Jones o'r 14eg, oedd yng nghefn yr ymosodiad:

> Yn fuan dyma don o ar ôl ton o ddynion tawedog yn cychwyn symud tuag ymlaen a minnau, gyda'r drydedd don, yn ymuno â hwynt. Cychwynnodd gynnau peiriant a reiffls ruglo a chafwyd cyflwr cyffredinol o anhrefn na

fedraf gofio llawer yn ei gylch ar wahân i'r ffaith fy mod i'n disgyn ar hyd y llechwedd ar raddfa gyflym gyda thyllau bwledi yn fy mhoced.

Wrth i'r 14eg gyrraedd y goedwig, daeth deugain o filwyr y gelyn allan â'u dwylo i fyny. Cyfeiria Ellis at ddigwyddiad tebyg. Ofnwyd mai twyll oedd hyn. Ond na, cymerwyd y deugain yn garcharorion. Yn wir, yn ystod y brwydro cymerwyd 352 yn garcharorion, yn cynnwys pedwar swyddog. Erbyn canol y bore llwyddwyd i sicrhau troedle yn y coed. Ond nid enillwyd yr un llathen heb ymdrech anferthol. Meddai Emlyn Davies o'r 17eg:

> Canfuom olygfeydd gwaedlyd. Cyrff drylliedig mewn *khaki* ac mewn llwyd, cyrff wedi datgymalu, nifer o bennau ac aelodau, talpiau o gnawd rhwygiedig hanner ffordd fyny boncyffion coed, Ffiwsilwr Cymreig yn gorffwys ar dwmpath, ffrydlif goch yn treiglo o'i wddf bidogedig; Cyffiniwr De Cymru ac Almaenwr wedi eu clymu mewn coflaid farwol – y ddau wedi trywanu ei gilydd ar yr un pryd. Gorweddai gynnwr Almaenig, gyda'i ên wedi ei chwythu i ffwrdd, ar draws ei wn peiriant, ei fys yn dal ar y glicied.

Wrth i'r nos ddisgyn ceisiodd y dynion gwasgaredig chwilio am gysgod lle medrent, wedi llwyr ymlâdd ar ôl pymtheg awr o ymladd di-dor. Erbyn toriad gwawr ar yr 11eg roedd yr Adran Gymreig ar chwâl yn llwyr, y dynion lluddedig yn crwydro drwy'r goedwig, a nifer o'r bataliynau wedi eu disbyddu'n ddifrifol. Ceir mwy o ddisgrifiadau o ganlyniad y gyflafan gan Llewelyn Wyn Griffith:

> Roedd offer, ffrwydron, rholiau o weiren bigog, tuniau o fwyd, helmedau nwy yn gorwedd o gwmpas

ymhobman. Roedd yno fwy o gyrff nag oedd o ddynion, ond ceid golygfeydd gwaeth na chyrff. Aelodau a bongyrff rhwygiedig, yma ac acw, pen datgysylltiedig yn ffurfio sblashiadau o gochni ar draws y deiliach gwyrdd, ac, fel petai mewn hysbyseb o'n ffordd o fyw a marw, ac o'n croeshoeliad o ieuenctid, un goeden yn dal yn ei changau goes, ei chnawd rhwygiedig yn hongian i lawr dros bwysi o ddail.

Byth wedyn, meddai, ni fedrai arogli coedydd gwyrdd newydd eu torri heb iddo hefyd atgyfodi golygfa o goeden wedi ei haddurno â choes ddynol. Yno yn nyfnder y coed, dychmygodd y negeseuon hynny oedd ar eu ffordd i Gymru yn hysbysu teuluoedd iddynt golli rhywrai annwyl:

> ... i ffermdy llwyd ar lechweddau Bae Ceredigion, neu i fwthyn glöwr mewn dyffryn yn Ne Cymru, gair am farwolaeth na ellid, yn y ganrif hwyr hon o'r Cyfnod Cristnogol, ei chysylltu â'r modd hwn o ladd. Roedd y ffaith y gallai'r haul fod yn tywynnu ar y creulondeb gwallgof hwn ac ar dawelwch tangnefeddus nant fynyddig yn Eryri ar yr union adeg mewn amser yn taflu amheuaeth ar bob ystyr geiriol. Gwyrdroid marwolaeth o fod yn rhywbeth trist i fod yn arswyd sgrechlyd nad oedd yn bodloni ar ddwyn bywyd o'i gragen ond oedd yn mynnu sathru mewn cynddaredd gwallgof ar y gist ysbeiliedig a alwn yn gorff.

Yn rhan o'r ymosodiad roedd y 14eg Bataliwn (Gwasanaethau) Abertawe gyda 676 o ddynion. O fewn diwrnod lladdwyd neu anafwyd tua 400. Dros y pum diwrnod o frwydro, difrodwyd y fforest yn llwyr wrth i sieliau ddisgyn yn gawodydd o dân. Bu brwydro ffyrnig wyneb yn wyneb â bidogau mewn llawer man wrth i'r ddwy ochr ymgiprys am bob modfedd o dir. Meddai'r bardd a'r awdur Robert Graves am y goedwig wedi'r drin:

> Roedd yn llawn o Warchodwyr Prwsiaidd marw, dynion mawr, a Ffiwsilwyr Cymreig marw a Chyffinwyr De Cymru, dynion bach. Ni wnaeth un goeden yn y fforest sefyll yn gyfan.

Cawn ddisgrifiad graffig arall o faes y gad wedi'r drin gan Llewelyn Wyn Griffith wrth iddo edrych ar y llanast o'i gwmpas:

> Gorweddai dynion fy mataliwn yn farw ar y ddaear fesul niferoedd. ... Awyr las uwchlaw clwstwr o goed gwyrdd a mynwent wedi'i haredig lle symudai dynion byw i mewn ac allan o'r golwg; tri dyn yn cloddio ffos hyd at eu cluniau yn y pridd coch, yn cloddio'u beddau eu hunain, fel y digwyddodd, gan i ffrwydrad siel droi eu lloches yn fedd.

Wedi'r chwalfa penderfynodd y Pencadlys Adrannol alw'r Adran Gymreig yn ôl o faes y gad. Disodlwyd y 38ain gan gyfuniad o wahanol fataliynau, yn cynnwys brigâd o'r 12fed Adran, a aeth yn eu blaen i glirio gweddill Coed Mametz erbyn canol dydd trannoeth heb fawr o drafferth, a heb wynebu fawr ddim gwrthwynebiad. Dim rhyfedd. Roedd y Prwsiaid wedi encilio am na theimlent y byddai amddiffyn y goedwig yn werth y colledion dynol. Roedd yr amddiffynwyr, dros saith diwrnod o frwydro, wedi gwrthsefyll miliwn a hanner o sieliau a hyrddiwyd atynt. Ond roedd yr Adran Gymreig wedi llwyddo i wthio elît yr Almaen filltir tuag yn ôl.

Ni chafodd y 38ain unrhyw glod am eu rhan, na'r bodlonrwydd o gwblhau'r gwaith na hyd yn oed fod yn dystion i gipio Coed Mametz yn gyfan. Yn wir, bron iawn na chyhuddwyd hwy gan rai o lwfrdra, staen a gymerodd flynyddoedd i'w glanhau.

Ganrif yn ddiweddarach, beth yw dyfarniad hanes ar Frwydr Coed Mametz? Llwyddiant gogoneddus neu fethiant affwysol? Daeth Siegfried Sassoon i'r casgliad i'r frwydr fod yn llanast llwyr gyda'r milwyr yn rhuthro o gwmpas yn ddigyfeiriad dan ymosodiadau gynnau peiriant. Ond a yw hynny'n ddigon o reswm dros ddibrisio dewrder y 38ain? Beth am eu cyfraniad tuag at ennill y rhyfel yn 1918?

Yn ôl yr ystadegau swyddogol, lladdwyd 602 o filwyr y 38ain ym Mametz, 46 ohonynt yn swyddogion. Ond roedd y cyfanswm, o gynnwys hefyd y rhai na chanfuwyd eu cyrff, yn 3,993, a chwe swyddog yn eu plith. Cofnodwyd 2,806 fel clwyfedigion, 190 o'u plith yn swyddogion. Yn y frwydr a barodd bum diwrnod, lladdwyd, collwyd neu anafwyd tua wyth mil o filwyr, eu hanner o'r 38ain. Golygai hynny draean o ddynion yr Adran Gymreig.

Y dref a ddioddefodd y golled fwyaf yn ôl cyfartaledd ei phoblogaeth oedd Rhuthun, a gollodd 26 o ddynion. Credir i bedwar arall o'r dref farw'n ddiweddarach o'u hanafiadau. Lladdwyd 16 ohonynt o fewn wythnos i'w gilydd. Doedd tri ohonynt ond yn 17 oed.

Y tu ôl i'r ystadegau moel roedd enwau, a'r tu ôl i'r enwau roedd teuluoedd yn galaru. Yn eu plith roedd teulu'r brodyr Tregaskis o Benarth a oedd wedi ymfudo i Ganada. Dychwelodd y ddau fachgen, Arthur a Leonard, i ateb yr alwad. Ymunodd y ddau â'r 38ain ar yr un diwrnod, fe'u dyrchafwyd i safle Lefftenant ar yr un diwrnod a'u comisiynu ar yr un diwrnod. Saethwyd un yn ei ben yn ystod yr ymosodiad cyntaf. Aeth ei frawd ato i i'w gysuro. Saethwyd yntau a bu farw'r ddau ym mreichiau ei gilydd.

Brodyr eraill a fu farw yn ystod yr ymosodiad cyntaf

hwnnw oedd Thomas a Henry Hardwidge o'r 15fed, glowyr o Lynrhedynog o 'A Company'. Ar yr 11eg anafwyd Thomas gan sneiper. Aeth Henry draw ato â dŵr i'w ymgeleddu. Saethwyd y ddau'n farw gan yr un sneiper. Cyn diwedd y flwyddyn honno lladdwyd trydydd brawd, Morgan, mewn brwydr wahanol. Ychwanegwch atynt Ernest a Herbert Philby wedyn o'r 1/8fed, dau frawd a laddwyd ar y 21ain. Lladdwyd y brodyr Tregaskis, Hardwidge a Philby, y chwech yn perthyn i'r un uned, ar yr un diwrnod. Atynt hwy, ychwanegwch enwau Henry a Charles Morgan, brodyr a listiodd gyda'i gilydd yng Nghaerdydd ac a laddwyd ochr yn ochr. A dyna Albert ac Ernest Oliver wedyn a laddwyd o fewn tridiau i'w gilydd, y naill ar y 7fed a'r llall ar y 10fed o Orffennaf.

Ymhlith y caplaniaid roedd offeiriad a adnabyddid fel 'Padre Evans', Cymro Cymraeg. Ei brif swyddogaeth oedd claddu cyrff ac yngan geiriau o gysur uwch eu pen. Gwelwyd ef yn crwydro'n ddigyfeiriad drwy'r goedwig gan siarad ag ef ei hun fel petai'n gweddïo. Tybiwyd mai chwilio am fwy o gyrff i'w claddu roedd Evans. Mewn gwirionedd, chwilio am un corff yn arbennig roedd y Caplan, sef corff ei fab, a laddwyd rywle yn y goedwig. Ni lwyddodd i'w ganfod. Felly, aeth ymlaen i gladdu cyrff meibion pobl eraill.

Roedd y Capten Llewelyn Wyn Griffith yno gyda'i frawd bach, Watcyn, a oedd, lai nag wythnos ynghynt, yn 'dathlu' ei ben-blwydd yn bedair ar bymtheg oed mewn ffos. Ar anterth y frwydr, lladdwyd y llanc ar ei ffordd yn ôl o gario neges a dderbyniodd o law ei frawd mawr i'w throsglwyddo i swyddog arall. Ni chanfuwyd ei gorff. Yn ddiweddarach fe fyddai Llewelyn yn colli mab, John Frimston, yn yr Ail Ryfel Byd.

Cyn wynebu'r gelyn, gosododd H. T. Jenkins o'r 17eg Destament Newydd ym mhoced ei diwnig gyferbyn â'i galon. Fe'i saethwyd yn farw drwy'r Testament. Yn y cyfamser collwyd ei weddillion yntau.

Lladdwyd y Lefftenant Lionel Duncan Stanbury ar y 7fed. Anfonwyd ei holl eiddo adref i'w rieni, sef pâr o 'puttees', bag llaw, clustog awyr, un crys, un tywel a llafnau rasel. Derbyniodd ei rieni hefyd dâl am eu colled. Ond didynnwyd £10 4s o'r iawndal o £79 5s 10d am na wnaeth eu mab wasanaethu rhwng yr 8fed a'r 31ain o Fehefin. Roedd ganddo esgus digonol. Roedd e'n farw. Ni chanfuwyd ei gorff.

Roedd Frederick Hugh Roberts, cyn-chwarelwr, wedi ymfudo o Fethesda i weithio fel glöwr yn y de. Goroesodd danchwa Senghennydd, lle collwyd 439 o'i gyd-weithwyr ar y 14eg o Hydref 1913. Digwyddodd fod yn absennol o'i waith ar y pryd. Ond lai na thair blynedd yn ddiweddarach collodd ei fywyd yn yr ymosodiad cyntaf hwnnw yn uffern Coed Mametz.

Bu cyrff lladdedigion o'r ddwy ochr yn gorwedd yn y goedwig am ddyddiau. Ar noson yr 16eg aeth Robert Graves ar sgawt i chwilio am gotiau rhai o'r milwyr Almaenaidd marw i'w defnyddio fel blancedi i'w gadw rhag yr oerfel. Gwelodd olygfa ryfeddol. Yno gorweddai cyrff dau filwr, y naill yn un o Gyffinwyr De Cymru a'r llall yn aelod o'r Lehr. Roedd y ddau wedi trywanu ei gilydd ar yr un pryd ac yn unedig mewn un goflaid olaf.

Cipiwyd Coed Mametz, nid gan y byw, medd y Capten Wyn Griffith, ond yn hytrach gan y rhai a laddwyd:

> Y meirw oedd y dewisedig rai, ac fe wnaeth ffawd ein hanghofio ni yn ei hawydd i gofleidio'r rhai a gwympodd; hwy oedd y wobr fwyaf gwerthfawr. Fe wnaethant gipio Coedwig Mametz, ac ynddi y gorweddant.

Yn ychwanegol i'r lladdedigion, anafwyd ymron dair mil o filwyr ym Mrwydr Coed Mametz. Yn eu plith roedd Ellis Williams o Drawsfynydd. Wedi'r gyflafan, aeth blwyddyn heibio cyn i'r 38ain gael bod yn rhan o unrhyw frwydr o sylwedd wedyn. Roedd Ellis erbyn hynny yn dal yn yr ysbyty yn Boulogne. Yn dilyn Brwydr Coed Mametz symudwyd y 38ain Adran i Courcelles ac yna ymlaen i Ypres. Buont mewn mân ysgarmesoedd yng nghyffiniau Camlas Yser. Yna, ar ddiwrnod olaf mis Mehefin 1917 aethant ymlaen i gyffiniau Langemark yng ngorllewin Fflandrys.

Y frwydr fawr nesaf i'r 38ain fyddai Brwydr Cefn Pilckem, cychwyniad prif gythrwfl Trydedd Frwydr Ypres yn ystod haf 1917. Ynddi lleddid ymron 3,700 o filwyr y Bumed Fyddin. Ymhlith y lladdedigion, yn y 15fed Bataliwn o'r Ffiwsilwyr Cymreig, byddai un o gymdogion Ellis o'r Traws. Ei enw barddol oedd Hedd Wyn.

Adran Tri

Y Driniaeth

Y gweddnewidwyr

Bu farw dros filiwn o filwyr a morwyr Prydeinig yn y Rhyfel Mawr. Dychwelodd dwywaith gymaint adref wedi'u hanafu. I lawer o'r rhai hynny fu'n ddigon ffodus i ddod adref – neu'n ddigon anffodus yn achos rhai – byddai'r anafiadau wynebol y gwnaethant eu dioddef yn y drin, eu hanffurfio am byth. Yn wir, medrai'r effeithiau seicolegol anweledig o gael eu hanffurfio fod hyd yn oed yn waeth na'r clwyfau wynebol eu hunain.

Yn eironig, y ffosydd a gloddiwyd gyda'r bwriad o'u hamddiffyn fu'n gyfrifol am y mwyafrif mawr o anafiadau wynebol milwyr. Mewn ffos, tra byddai eu cyrff yn guddiedig, byddai eu hwynebau'n gwbl agored wrth iddynt godi eu pennau i sbecian ar y gelyn, a hynny'n eu gadael yn gwbl ddiamddiffyn yn erbyn shrapnel neu fwled.

Yn gynnar yn hanes y rhyfel, prin iawn oedd y sylw a roddid i anafiadau i'r wyneb, a llai fyth i'r trawma meddyliol. Y syndod oedd i gymaint o ddioddefwyr oroesi'n ddigon hir i dderbyn unrhyw fath o driniaeth. Dod adre'n fyw fyddai'r fendith fwyaf. Yn wir, hynny fyddai'r felltith fwyaf i amryw. Byddai datblygiad llawfeddygaeth blastig yn newid y canfyddiad hwnnw'n llwyr.

Y lladdwr mwyaf ar faes y gad ac achos y mwyafrif mawr o anafiadau wynebol oedd shrapnel. Yn wahanol i'r anafiadau unionsyth a 'glân' a achosid gan fwledi, fe allai'r darnau metel llymion hyn a wasgerid yn gawod rwygo cnawd oddi ar asgwrn a blingo wynebau oddi ar benglogau. Ar ben hynny, byddai ffurfiau afreolaidd darnau o shrapnel yn aml yn gyrru deunydd estron, darnau o ddilladau er enghraifft, ynghyd â baw i mewn i'r clwyf gan achosi heintiad. Golygodd y datblygiadau mewn gofal meddygol y câi mwy o filwyr clwyfedig oroesi, a daeth ymdrin â'r fath anafiadau difrodus yn her lawfeddygol newydd.

Y gŵr a glustnodwyd gan Fyddin Prydain i arolygu'r ymgyrch i drin y fath anafiadau wynebol oedd Harold Delf Gillies. Yn frodor o Dunedin, Seland Newydd, astudiodd feddygaeth yng Nghaergrawnt ac ymgymhwysodd yn Ysbyty Brenhinol Bart's. Roedd yn gryn gampwr, yn rhwyfwr yn y coleg ac yn golffiwr llwyddiannus. Ymunodd â Chorfflu Meddygol Byddin Prydain ar gychwyn y Rhyfel Mawr.

Syfrdanwyd Gillies gan niferoedd a natur yr anafiadau a ganfu ar faes y gad a mynnodd fod y fyddin yn sefydlu ei huned llawfeddygaeth blastig ei hun. Yn fuan wedyn sefydlwyd ysbyty pwrpasol yn Sidcup. Yn dilyn Brwydr y Somme yn unig, triniwyd 2,000 o gleifion, ac yno y gwnâi Gillies ei waith mwyaf arloesol mewn maes a elwid yn 'Maxillofacial Surgery'.

Lle gynt yr ystyrid adluniad wynebol gydag amheuaeth, daeth y driniaeth, diolch i Gillies, yn rhan annatod o'r broses o iacháu dioddefwyr rhyfel, yn wynebol ac yn seicolegol. Er hynny, mewn byd lle nad oedd meddygaeth wrthfiotig yn bodoli, byddai mynd o dan y gyllell fel rhan o lawfeddygaeth mor arbrofol yn creu llawn cymaint o beryglon ag y gwnaethai'r ffosydd eu hunain.

Buan y sylweddolwyd na fyddai'r adnodd hwn yn ddigon ac agorwyd Ysbyty Queen's yn y dref ym mis Mehefin 1917 gyda dros fil o welyau. Yno y datblygwyd y llawdriniaeth gan gynnal 11,000 o lawdriniaethau wynebol ar 5,000 o ddynion, y mwyafrif yn dioddef o anafiadau a achoswyd gan fwledi. Ailenwyd yr ysbyty'n ddiweddarach yn Ysbyty'r Frenhines Mary a'i symud i Frognal House. Dal i genhadu wnaeth Gillies ac wedi cryn ddyfalbarhad, llwyddodd i berswadio'r awdurdodau meddygol i sefydlu ward arbennig i drin anafiadau'r wyneb yn Ysbyty Milwrol Cambridge yn Aldershot.

Caiff morwr ifanc o Plymouth, Walter Yeo, ei ystyried fel y claf cyntaf i dderbyn y driniaeth blastig ar ei wyneb ym Mhrydain. Derbyniwyd ef gan Gillies ar yr 8fed o Awst 1917. Fe anafwyd Yeo ar yr HMS Warspite ym Mrwydr Jutland ym mis Mai 1916. Llosgwyd ei wyneb yn ddifrifol a chollodd ei amrannau. Bu triniaeth Gillies, a hynny dros amser, mor llwyddiannus nes i Yeo ddychwelyd i'r llynges ym mis Gorffennaf 1919. Bu farw ym mis Rhagfyr 1960 y 70 oed. Trawsblannodd Gillies groen newydd ar wyneb y morwr, dull a enwyd yn 'flap surgery' neu'n 'tubular pedicle surgery'. Y dull oedd cymryd croen iach o un rhan o'r corff, rholio'r darn croen ac ailgysylltu dau ben y tiwb cnawdol ar y clwyf.

Yn y cyfamser, pan groesodd y Llu Alldeithiol Prydeinig (British Expeditionary Force) i Ffrainc, roedd yn eu plith aelodau o Gorfflu Meddygol Brenhinol y Fyddin. Yn rhyfedd iawn, nid oedd yr un deintydd ymhlith y Corfflu er gwaetha'r ffaith i 2,000 o filwyr yn Rhyfel y Böer orfod cael eu hanfon adref oherwydd problemau deintyddol. Yn ogystal, roedd 5,000 wedi eu hystyried yn glaf oherwydd diffyg dannedd gosod. Ac yn ôl yr hen wireb, fedrai byddin na fedrai frathu ddim ymladd.

Yn 1915 yn Wimereux ger Boulogne, roedd llawfeddyg arall wedi dechrau trin cleifion gydag anafiadau wynebol. Roedd Auguste Charles Valadier yn ddeintydd o dras Ffrengig-Americanaidd. Arbenigedd Valadier oedd trin anafiadau geneuol yn arbennig. Roedd dulliau llawfeddygol hwnnw mor arloesol fel na châi ymdrin â chleifion heb fod o dan arolygaeth fanwl. Roedd yna amheuon am ei ddilysrwydd a'i allu. Anfonwyd Gillies allan i gadw golwg arno.

Mae'n werth cyfeirio at rywbeth diddorol a ddigwyddodd cyn i Valadier lwyr ymsefydlu yn Boulogne. Ychydig cyn iddo gael ei dderbyn gan y Llu Alldeithiol Prydeinig galwyd arno i drin claf annisgwyl, neb llai na'r Cadlywydd Haig ei hun. Adeg Brwydr Aisne ym mis Medi 1914 oedd hyn, pan oedd Valadier yn dal i weithio fel deintydd. Dioddefai Haig o'r ddannodd a galwyd am ddeintydd o Baris. Credir mai Valadier oedd hwnnw. Yn Abbeville roedd Valadier ar y pryd, heb fod ymhell iawn o Aisne. Cadarnheir y digwyddiad mewn papur ar Valadier gan William C. Cruse o Gorfflu'r Unol Daleithiau a gyhoeddwyd yn 1986.

Tybed a fu dylanwad Haig yn gymorth iddo gael ei dderbyn gan Gorffllu Meddygol Prydain? Wedi'r cyfan doedd Haig, yng nghadair y deintydd, ddim mewn sefyllfa i wrthod ambell argymhelliad. Diddorol nodi hefyd, ymhen mis i driniaeth Haig, i ddwsin o ddeintyddion gael eu hanfon i wasanaethu'r milwyr yn Ffrainc. Erbyn diwedd 1916 roedd yno 463 ac erbyn diwedd y rhyfel, gymaint ag 849. Arweiniodd hyn oll at sefydlu Corfflu Deintyddol Brenhinol y Fyddin dair blynedd wedi diwedd y rhyfel. Do, daeth daioni o'r ddannodd a ddioddefodd y Cadlywydd Haig.

Er mai Gillies yw'r arbenigwr a gydnabyddir o hyd fel y prif arloeswr ym maes llawfeddygaeth blastig, mae lle i gredu na chafodd Valadier y clod dyladwy am ei ran ef yn y maes. Fe'i ganwyd ym Mharis yn 1873, ac ymfudodd y teulu i America dair blynedd yn ddiweddarach. Bu Valadier yn astudio meddygaeth ym Mhrifysgol Columbia, gan ymgymhwyso i fod yn feddyg yng Ngholeg Deintyddol

Philadelphia yn 1901. Bu ganddo bractis yn Philadelphia ac yn Efrog Newydd.

Erbyn dechrau'r Rhyfel Mawr roedd Valadier wedi dychwelyd i Baris at ei fam weddw gan gychwyn practis yno mewn ardal ffasiynol o'r ddinas. Ond gwirfoddolodd fel meddyg gyda Chymdeithas y Groes Goch Brydeinig yn Abbeville. Daeth yn ymwybodol o sefydliad maes Prydeinig ger Boulogne, ac aeth yno i gynnig ei wasanaeth. Tuag at ddiwedd 1914 fe'i trosglwyddwyd i ganolfan Ysbyty Meddygol y Llu Alldeithiol Prydeinig yn Boulogne. Cyrhaeddodd yn ei Rolls Royce Silver Ghost 1913 yn cael ei yrru gan chauffer, y cerbyd a ddefnyddiai i gludo'i holl offer meddygol, yn cynnwys cadair ddeintyddol. Dyma, mae'n rhaid, oedd y labordy deintyddol modurol cyntaf erioed. Yn ddiweddarach addaswyd ambiwlans ar gyfer y gwaith.

Mae'n werth manylu ar y car rhyfeddol. Rhif y siasi oedd 2643 ac fe'i harchebwyd yn wreiddiol gan Hugh Montgomery ar y 24ain o Fedi 1913. Ac yntau'n aelod o'r Marlborough Club yn Llundain, rhaid bod Montgomery'n ddyn cefnog iawn. Trigai yn Warwick Square ond ei brif gartref oedd Bosworth Park, Nuneaton. Talodd flaendal o £328, sy'n gyfystyr heddiw â £33,000. Ar yr 28ain o Hydref talodd Montgomery weddill y gost o £688, gan wneud cyfanswm sy'n gyfystyr â £100,000 heddiw am y siasi yn unig. Ymddengys i'r archeb gael ei newid wedyn o ran y math ar gorff a'r system lywio gan wneud y car yn fwy o limwsîn.

Ym mis Hydref 1915 prynwyd y car drwy Barker & Co gan Valadier. Nodir ar y cerdyn siasi ddefnydd y car, sef 'used by Military on Home or Active Service. European War 1914/19'. Yn y cyfamser lladdwyd y cyn-berchennog, y Lefftenant Hugh Montgomery o'r Gwarchodlu Gwyddelig, ar faes y gad yn Ffrainc.

Yn 2015 gwerthwyd y Rolls Royce Silver Ghost gan Bonhams ar ocsiwn. Newidiodd ddwylo droeon ers dyddiau Valadier. Yr amcan bris oedd rhwng £600,000 ac £800,000 ac fe aeth am £718,300. Y gwerthwr oedd Gary Denis Flather o Berkshire, sy'n Gwnsler y Frenhines; bu'r car yn eiddo i'w deulu am 48 mlynedd. Mae ei wraig, Shreela Rai Flather, yn Farwnes yn Nhŷ'r Arglwyddi.

Yn Boulogne roedd Valadier yn bendant o'r farn y dylai anafiadau a achosid gan fwledi a shrapnel i'r wyneb dderbyn triniaeth arbenigol. Hynny a'i symbylodd i greu'r 13eg Ysbyty Sefydlog mewn hen storfa siwgr. Yn 1917 fe'i hailenwyd yn 83fed Ysbyty Cyffredinol Dulyn a'i symud draw i dref Wimereux. Talodd am yr holl offer ei hun o'r enillion a wnaethai yn ei bractis ym Mharis.

Yma y datblygodd ei dechnegau arloesol. Ei ddull o weithredu oedd cau'r clwyfau mor fuan ag oedd modd, ac arbed neu achub cymaint o ddannedd â phosibl drwy chwistrellu dŵr dan bwysau ar y clwyfau'n achlysurol er mwyn atal madredd, neu *gangrene*. Ar gyfer y gwaith o chwistrellu dyfeisiodd gyfarpar oedd yn cynnwys drwm ar olwynion a phwmp beic, dyfais y medrid ei gwthio o amgylch. Ei enw ar y ddyfais oedd Yr Injan Dân.

Pan anfonwyd Harold Gillies i gadw golwg ar Valadier a'i waith, roedd hwnnw braidd yn ddilornus ohono. Tybir mai yn groes i'r graen y gwnâi gydnabod cyfraniad arloesol Valadier ar y cychwyn. Fel hyn y'i disgrifiodd yn 1957:

> Yn Boulogne roedd yna ddyn mawr, tew gyda gwallt golau ac wyneb cochlyd a oedd wedi cyfarparu ei Rolls Royce â chadair ddeintyddol, driliau a'r holl fetelau angenrheidiol. Ei enw oedd Charles Valadier. Crwydrai o gwmpas nes y byddai wedi llenwi ag aur yr holl ddannedd oedd ar ôl gan aelodau'r Pencadlys Cyffredinol Prydeinig. Gyda'r cadfridogion wedi eu

clymu yn ei gadair, fe'u perswadiodd o'r angen am uned blastig a geneuol ... mae'r diolch am ei sefydlu, rhywbeth a hwylusodd lawfeddygaeth blastig gymaint yn nes ymlaen, i'w briodoli i dalentau ieithyddol y llyfn a'r hynaws Syr Charles Valadier.

Mae haeriad Gillies fod Valadier wedi manteisio ar sefyllfa ambell gadfridog yng nghadair y deintydd yn cadarnhau'r amheuaeth iddo gael dylanwad ar y Cadlywydd Haig. Cawn ddisgrifiad caredicach o Valadier o ran pryd a gwedd gan un o'i gleifion. Disgrifiodd ef fel dyn trymaidd o ran pwysau gydag wyneb golygus ond gwridog a chanddo fwstásh militaraidd. Roedd ei ymarweddiad yn osgeiddig a byddai bob amser yn daclus, gan wisgo sgidiau uchel a chlos pen-glin a gwregys Sam Brown. Roedd ganddo ddwylo mawr a byddai'n trin clwyf yn gadarn ond yn dyner. Roedd Valadier hefyd yn farchog medrus a cheir disgrifiad diddorol o'i allu gan gyd-ddeintydd anhysbys:

Y llawfeddyg enwog ac arloesol, yr Uwchgapten Syr Auguste Charles Valadier

> Roedd yn farchog da a fedrai rolio sigarét ag un llaw gan ddal y ffrwyn gyda'r llall.

Does wybod pa mor hir y bu Gillies gyda Valadier, ond mae'n siŵr iddo ddysgu llawer oddi wrtho. Yn wir, meiriolodd ei agwedd tuag at Valadier a daeth i'w edmygu. Nid yw Ellis yn cyfeirio at Gillies o gwbl. Ond mewn un ffotograff gwelir meddyg yng nghwmni Ellis ac ymddengys mai Gillies yw hwnnw.

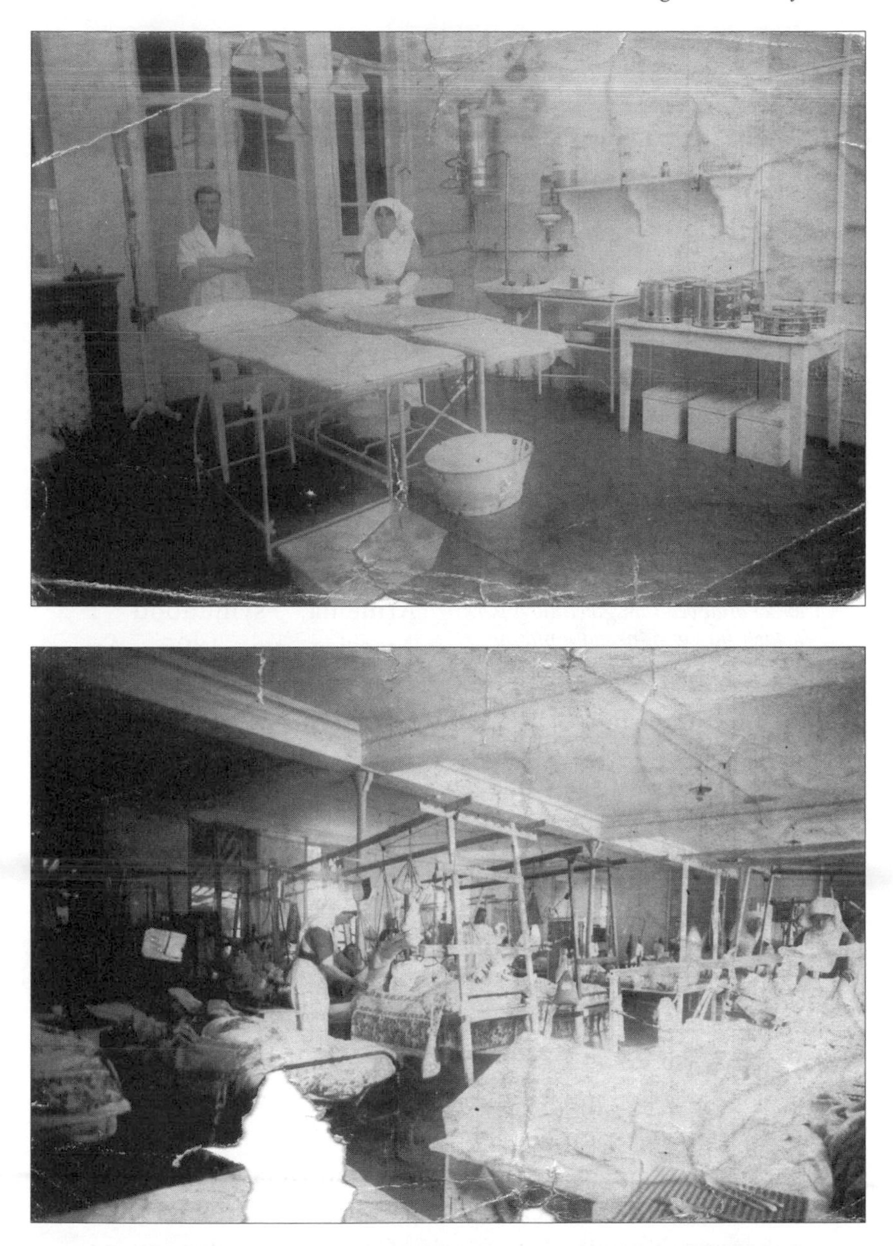

Yr adnoddau cyntefig yn y wardiau yn yr ysbyty yn Boulogne

Y Capten Syr Harold Gillies, llawfeddyg arloesol arall oedd yn gweithio gyda Valadier yn gweddnewid y milwyr clwyfedig

Nid Valadier a Gillies oedd yr unig arloeswyr yn y maes newydd hwn o adfer wynebau. Dylid cynnwys enwau o leiaf ddau arall, sef y Doctor Varaztad Kazanjian a'r Doctor Hippolyte Morestin. Arbenigwr llawfeddygol ar y geg oedd Kazanjian, y cyntaf erioed i ddwyn y teitl Athro Mewn Llawdriniaeth Blastig, a hynny yn Ysgol Feddygol Harvard. Yn wreiddiol o Armenia, symudodd i America yn 1895. Ac yntau'n ddeintydd i gychwyn, gwirfoddolodd ar doriad y Rhyfel Mawr i weithio gyda Chorfflu Meddygol Harvard mewn ysbyty allan yn y maes ar ffurf pebyll yng ngogledd Ffrainc. Yno y bu'n arloesi ac yn adlunio wynebau milwyr clwyfedig.

Llawfeddyg Ffrengig oedd Hippolyte Morestin a hyfforddwyd ym Mhrifysgol Paris. Oherwydd ei waith arloesol mewn meddygaeth eneuol fe'i llysenwyd yn Dad y Genau. Morestin fu'r dylanwad mawr ar Gillies. Cyfarfu'r ddau pan oedd Gillies yn gweithio yn Ysbyty Cyffredinol Prydain yn Rouen. Ef oedd y cyntaf i lwyddo i grafftio croen drwy ei dorri a'i rolio oddi ar ên claf a'i osod dros y clwyf gan adael i groen iach aildyfu.

Roedd adluniad wynebol yn dal i fod yn fath cyntefig ar lawfeddygaeth ar ddechrau'r rhyfel. Roedd arbrofi yn rhan anhepgor o'r driniaeth ac fe arbrofodd Gillies gydag amryw o driniaethau a ddysgodd o'i astudiaethau. Un o'i lwyddiannau cyntaf a mwyaf oedd y Lefftenant William Sprekley, oedd – fel Ellis Williams – â'i drwyn wedi ei ddifetha. Canfu Gillies hanesyn mewn llyfr am hen syniad Indiaidd a elwid yn 'forehead flap'. Cymerodd ddarn o gartilag un o asennau Sprekley a'i drawsblannu yn ei dalcen. Fe'i gadawodd yno am chwe mis cyn ei droi am i lawr gan ail-greu trwyn ohono. Parhaodd y llawdriniaeth arno am dros dair blynedd, o fis Ionawr 1917 tan fis Hydref 1920.

Aeth Gillies ati i wthio'r ffiniau ymhellach fyth. Roedd rhai o'r dynion a anfonwyd i Sidcup wedi dioddef anafiadau nas gwelwyd eu tebyg o'r blaen. Ond tra oedd mwy a mwy yn goroesi, dal i lusgo'r oedd datblygiad y driniaeth. Penderfynodd Gillies nad oedd adlunio wyneb yn ddigon. Rhaid oedd ystyried hefyd y canlyniad esthetig. Gyrrodd hyn ef ymlaen at fwy o arbrofi. Ond mewn cyfnod di-wrthfiotig golygai hynny gymryd risgiau.

Dysgodd Gillies wersi pwysig am gyfyngiadau galluoedd sgalpel y llawfeddyg. Derbyniwyd i'r ysbyty beilot, Henry Lumley, a oedd wedi dioddef llosgiadau difrifol i'w wyneb. Penderfynodd Gillies gymryd darn o groen o faint wyneb y claf oddi ar ei frest a'i grafftio. Ond yn fuan iawn aeth y grafft yn heintus a bu farw Lumley o drawiad ar y galon. Dysgodd hyn wers i Gillies, sef na ddylid cyflawni llawfeddygaeth blastig bob yn gymal byr ond yn hytrach fel un llawdriniaeth gyfan. Sylweddolodd, o grafftio rhan o'r corff ar ran arall, y byddai angen i'r darnau hynny ddal i fod yn gysylltiedig nes y gwnaent gydio. Dysgodd hefyd y byddai gwneud hynny heb gymorth gwrthfiotigau yn hynod beryglus. Y dull a fabwysiadodd er mwyn cyflawni hyn fu cyfraniad mwyaf arloesol Gillies.

Sylweddolodd y dylid gadael un pen o'r darn oedd i'w grafftio i fod yn gysylltiol, yna ei rolio'n diwb gan gysylltu'r pen arall wrth ymyl y man grafftio. Golygai hyn y medrai symud meinwe o un lleoliad i'r llall heb ofidio am heintio. Enwodd y dull yn 'tube pedicle', sef datblygiad pellach o'r dull a ddefnyddiodd ar wyneb Walter Yeo. Câi'r meinwe byw ei amgylchynu gan y croen allanol, a hwnnw'n atal dŵr a heintiad. Gallai wedyn adael y tiwbiau hyn yn eu lle am wythnosau heb unrhyw berygl. Unwaith y dechreuai gwaed lifo i'r grafft drwy'r rhan newydd, gellid torri'r cysylltiad gwreiddiol. Yna gellid rhoi tro i'r cnawd a'i ffitio i'w le. Datblygwyd dull Gillies yn ddiweddarach gan ei gefnder, Archibald McIndoe, a fu'n trin peilotiaid yr Awyrlu a ddioddefodd losgiadau wynebol yn yr Ail Ryfel Byd.

Er yr holl lwyddiant cynnar, roedd hi'n dal yn amhosibl i'r cleifion oresgyn yr effaith seicolegol. Yn amlach na heb, byddent yn amharod iawn i wynebu'r cyhoedd a thueddent i guddio'u clwyfau. Ai rhai mor bell â gwisgo mygydau. O fewn i'r ysbyty gwaherddid unrhyw ddrychau a gallai rhai cleifion fynd am flynyddoedd heb weld eu hwynebau eu hunain. Y tu allan peintiwyd meinciau mewn parciau cyfagos yn las i ddynodi eu bod nhw'n gyfyngedig i ddynion oedd yn dioddef o anafiadau wynebol. Byddent yn rhybuddio pobl leol hefyd y gallent gael sioc o weld wynebau'r dynion hyn. Câi rhai cyn-gleifion waith, ond tueddent i chwilio am swyddi lle gallent weithio o'r golwg mewn stafelloedd cefn. Byddai eraill yn ynysu eu hunain gan guddio o olwg y cyhoedd, a hyd yn oed oddi wrth eu gwragedd, eu teuluoedd a'u ffrindiau.

Am Valadier, erbyn mis Mai 1917 roedd ef a'i staff wedi trin dros fil o achosion o anafiadau geneuol ac wynebol. O blith y rhain dim ond 27 a gollwyd. Ymhlith y rhai y bu eu triniaeth yn llwyddiant roedd Ellis Williams.

Derbyniodd Valadier anrhydeddau lu, yn cynnwys Associate of St John of Jerusalem a Chevalier of the Legion of Honour yn 1919. Y flwyddyn ddilynol gwnaed ef yn ddinesydd Prydeinig. Yna fe'i hurddwyd yn Farchog (KBE) gan y Brenin yn 1921. Ceir cofnod o enwebiad Valadier ar gyfer yr anrhydedd gan neb llai na'r Cadlywydd Haig. Daeth yn un o ddim ond dau arbenigwr deintyddol i dderbyn yr anrhydedd hwnnw.

Bu farw Valadier yn 1931 o lewcemia, yn dlotyn oedd yn ddwfn mewn dyled o ganlyniad i golledion gamblo yng Nghasino Le Touquet. Derbyniodd ei weddw ddau daliad o £20 oddi wrth Gymdeithas Swyddogion y Fyddin Brydeinig. Oni bai am haelioni noddwr, Maharaja cyfoethog o'r India, byddai'r weddw wedi colli ei chartref, ôl-nodyn trist i fywyd a gwasanaeth Valadier, oedd yn ddyn o weledigaeth ac egwyddor.

Am Gillies, gosodwyd plac glas ar wal ei hen gartref yn rhif 71 Frognal yn Hampstead, Llundain. Mae'r actor Daniel Gillies yn ddisgynnydd iddo.

Atgofion Ellis

3

Roedd Ellis yng nghwmni tri chlaf arall pan gludwyd ef mewn ambiwlans o faes y gad, a'i wyneb wedi'i lurgunio, i'r 'First Dressing Station'. Yno gwisgwyd ef mewn dillad glân a diosgwyd ei rwymynnau gwaedlyd. Roedd y rheiny, meddai, yn gyndyn i ollwng gafael am fod y gwaed wedi dechrau ceulo. Er gwaethaf ei ddioddefaint, cofiai iddo gael wy i'w fwyta a llefrith a phaned o de.

Ni allai Ellis siarad oherwydd ei glwyfau a bu'n rhaid iddo ysgrifennu nodyn yn gofyn am ddifrifoldeb ei anaf. Yr ateb a gafodd oedd:

> *You've had it pretty bad. But cheer up, old boy, you will be in Blighty before long.*

Ond na, i Boulogne y'i cludwyd dridiau'n ddiweddarach ac i'r ysbyty milwrol yno. Yn ôl Ellis bu'n daith 'rough' gydag un o'i dri chydymaith claf yn griddfan yn bur arw. Gadawyd hwnnw mewn ysbyty ar y ffordd a chymerwyd un arall yn ei le. Cymerwyd pwls Ellis gan nyrs a chafodd baned gynnes.

O gyrraedd Boulogne, mae'n rhaid mai profiad

rhwystredig iddo fu gweld, yn yr harbwr, longau yn cludo milwyr yn ôl i Brydain. Ond yno yn yr ysbyty y bu am flwyddyn ac wyth mis gan dderbyn cymaint â deunaw o wahanol lawdriniaethau ar ei wyneb.

Cawn wybod gan Ellis ei hun ei fod ymhlith y dwsin cyntaf i'r llawfeddyg Auguste Valadier eu trin yn Ffrainc. Doedd hwnnw ond wedi dechrau gweithio yno ers tua mis. Cyn hynny, medd Ellis, doedd y llawfeddyg ddim wedi trin pobl, ond yn hytrach wedi bod yn arbrofi ar anifeiliaid gwyllt. Yna trodd at drin anafiadau wynebol a achoswyd gan ddamweiniau yn y gwahanol ddiwydiannau trwm.

Dywed i'r Ffrancwr hwn ddysgu elfennau grafftio cnawd yn ei wlad fabwysiedig, America. Pan dorrodd y rhyfel daeth yn ôl i Ffrainc gan feddwl y gallai fod o gymorth. Ond amheuwyd ef i gychwyn gan Lywodraeth Ffrainc o fod yn ysbïwr, medd Ellis. Ond daeth Llywodraeth Prydain i'r adwy gan ei ddyrchafu yn Uwch-gapten a darparu iddo le

Dioddefwyr o faes y gad yn yr ysbyty arloesol yn Boulogne

ac adnoddau ar gyfer ei waith arbenigol yn Boulogne, sef swyddfa a dwy ward a ddaliai gyfanswm o ddeuddeg ar hugain o welyau:

> *Yr oedd yn ddyn ariannog iawn. Dywedid ei fod yn filiwnêr. Synnwn i ddim yn ôl ei wisgiad. Byddai yn prynu'r dillad gorau a'r esgidiau. Roedd yn ddyn smart iawn a'i daldra tua 'five foot ten' i chwe troedfedd. Ni chymerai ddim cyflog ond gwneud y cyfan am ddim er mwyn y bechgyn.*

Ymhen pythefnos roedd y chwydd yn wyneb Ellis wedi cilio a gallai weld yn glir. Roedd ei orweddfan, meddai, mewn sefyllfa braf. Ar ddiwrnod clir gallai weld y White Cliffs of Dover yn y pellter. Ymhen mis roedd y ddwy ward bron yn llawn gydag Ellis yng ngwely rhif 6. Gymaint oedd perswâd a llwyddiant cynnar y doctor fel y câi beth a fynnai, yn cynnwys offer a niferoedd o nyrsys o wahanol wledydd, mwy nag oedd mewn unrhyw ward arall, a'r rheiny'n cynnwys nyrsys deintyddol o wledydd fel Canada ac Awstralia heb sôn am rai o wledydd Prydain. Roedd yna arbenigwr clust-a-thrwyn hefyd ar gael iddo, sef y Capten Whale.

Meddai Ellis:

> *Y gorchwyl cyntaf ynglŷn â fi fy hun ydoedd gwneud gwefus uchaf, am ei bod wedi cael ei chwythu* [i ffwrdd] *a'm dannedd i gyd o un ochr, a fy nhrwyn. Ymhen mis yr oedd gen i wefus uchaf, ac yn medru siarad. Roedd ganddo* [Valadier] *sculptor i gerfio eich wyneb neu'r pen i ddangos fel yr oeddech ar ôl dod i mewn, a byddai'n gwneud un arall pan fyddai* [y llawdriniaeth] *wedi ei orffen. Byddai hynny yn dangos beth fyddai wedi ei wneud, a'r gwahaniaeth.*

Câi'r wynebddelwau hyn eu cadw ar silffoedd y tu ôl i

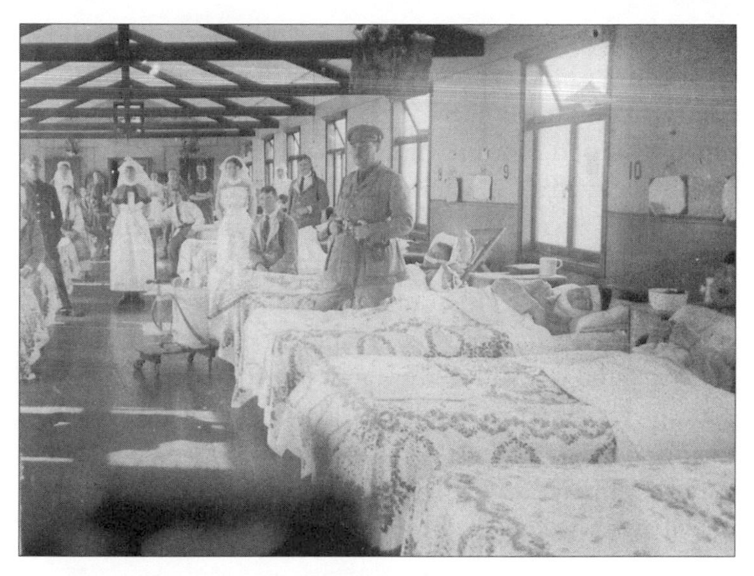

Golygfa o un o'r wardiau gyda Valadier yn cadw golwg ar ei gleifion

Gillies a Valadier a'r staff meddygol yn Boulogne

lenni mawr, llenni tebyg, meddai Ellis, i'r rhai y byddai merched yn eu tynnu ar draws ffenestri. Disgrifia'r driniaeth yn fanwl. Ni fyddai'r nyrsys yn iro'r clwyfau ag unrhyw eli ond câi'r briwiau eu golchi deirgwaith y dydd, pedair os byddai'r clwyfau'n ddrwg. Defnyddid dyfais ar ffurf tanc dŵr ar olwynion gyda phwmp ar gyfer chwistrellu'r dŵr ar y clwyf. Dyma'r Injan Dân, y ddyfais y cyfeiriwyd ati'n gynharach. Byddai hwn yn orchwyl rheolaidd ac yna câi'r clwyf ei lapio. Byddai tair nyrs wrth law yn ystod y dydd a dwy gyda'r nos ynghyd â Sister. Galwai ymwelwyr, yn eu plith feddygon a llawer o fyfyrwyr meddygol wrth i hanes gwaith arloesol Valadier ymledu. Ystyrid ef, medd Ellis, fel llawfeddyg grafftio mwyaf blaenllaw'r wlad.

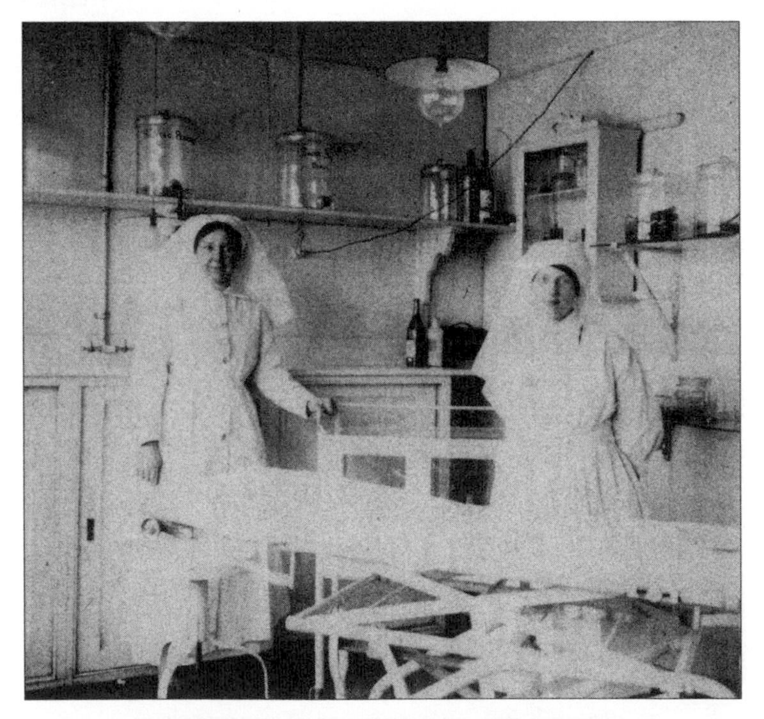

Adnoddau meddygol a staff nyrsio Boulogne

Disgrifiodd Ellis yn fras yn ei atgofion y dull o greu trwyn newydd o ddarn o asen y claf ac yna gosod y darn hwnnw o dan groen y talcen. Ymhen deufis byddai wedi cydio a'r gwaed yn cylchredeg drwy'r celloedd. Yna, meddai, câi'r croen o amgylch y darn o asen ei dorri a'i siapio o gwmpas y cartilag. Disgrifiodd y driniaeth a dderbyniodd un o'i gyd-gleifion, Jock:

> *Roedd bachgen o Scotland wedi dod i mewn. Yr oedd wedi colli ei ên i gyd. Nid oedd ond ei gorn gwddw i'w weld. Bu'r doctor yn eistedd ar ei wely am oriau droeon yn ceisio cynllunio sut i'w wneud i fyny. Y ffordd yr oedd y nyrs y medru ei fwydo oedd gyda mẁg a phig iddo, tipyn o fwdram neu wy a llefrith neu ychydig bach o de weithiau. O'r diwedd fe gafodd y doctor gynllun. Y peth cyntaf a wnaeth oedd gwneud siâp asgwrn gên o silver a chael hwnnw i weithio yn y joint ger yr ên. Yna torri cnawd ei frest a'i droi i fyny a'i wnïo a'i siapio bob yn ail ochr nes dod i'w siâp priodol. Yna fe roddodd ddannedd gosod ar hwnnw a phan oedd wedi darfod roedd Jock yn medru bwyta popeth a ni allasech ddweud fod dim byd arno.*

Aeth Valadier lawer ymhellach na'i ddyletswyddau llawfeddygol drwy gyfrannu i'r Albanwr bunt yr wythnos o'i boced ei hun. Roedd hyn yn gydnabyddiaeth i Jock am ymddangos yn achlysurol mewn arddangosfeydd a drefnid gan Valadier i ddangos llwyddiant ei driniaeth. Wedyn cynorthwyodd Jock i ymladd dros sicrhau pensiwn anabledd o gant y cant am weddill ei oes. Yn wreiddiol, dim ond hanner y pensiwn anabledd, sef punt yr wythnos, a dderbyniai Jock. Ond diolch i ymyrraeth Valadier, derbyniodd y swm llawn o ddwybunt.

Cawn Ellis yn dychwelyd at ei driniaeth ei hun, a honno'n aflwyddiannus i ddechrau. Torrwyd darn o groen

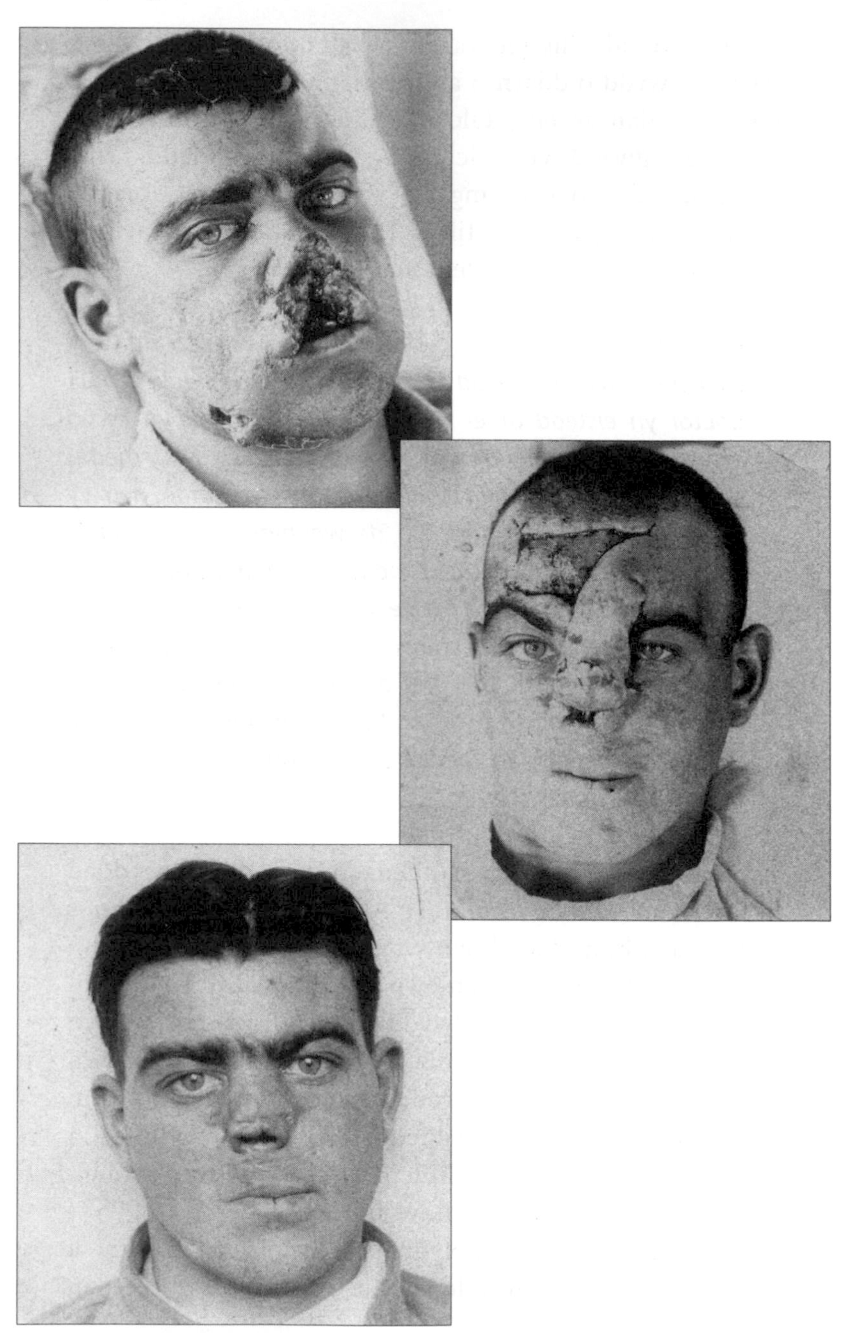

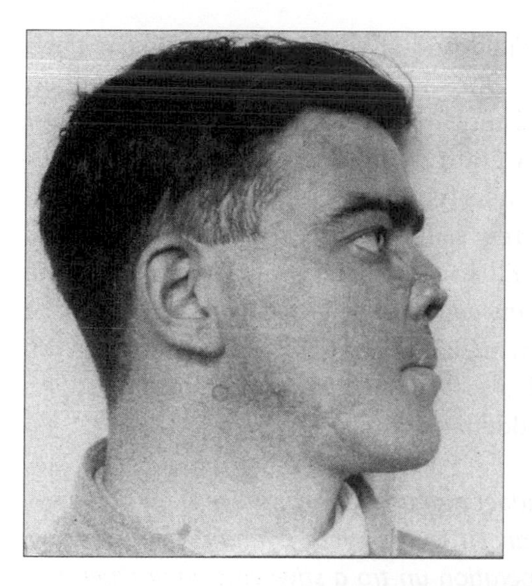

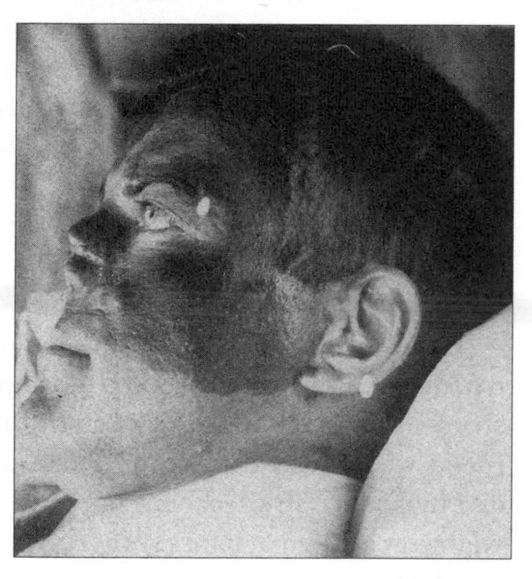

Datblygiadau yn y llawdriniaeth arloesol
a dderbyniodd Ellis yn yr ysbyty yn Boulogne

o'i fraich chwith a'i ailosod ar ei wyneb gyda phlastr Paris yn ei ddal yn ei le a photel dŵr poeth yn ei gadw'n gynnes. Bu yno heb symud am chwe wythnos. Ond pan dynnwyd y gorchudd, doedd y grafft ddim wedi cydio.

Dyna pryd y penderfynodd Valadier dynnu darn o un o asennau Ellis i greu sail i'w drwyn newydd. Yn wir, o sylweddoli bod Ellis mor iach a chryf yn gorfforol, gofynnodd iddo am ganiatâd i dynnu darn arall o un o'i asennau ar gyfer trin claf arall o Sais. Bodlonodd Ellis. Yn wir, triniwyd y ddau ar fyrddau cyfochrog ar yr un pryd. Ac yn awr cawn gyfaddefiad gan Ellis:

> *Rhaid i mi gyfaddef mai un dipyn yn sydyn a gwyllt ydwyf, neu oeddwn pan yn ieuanc, beth bynnag. Yr oeddwn yn mynd o dan operation un tro a stiwdents yn yr Operation Room. Capten Whale fyddai'n arfer rhoi'r Clorofform. Nid oedd yr operation yn fawr, a dylwn fel arfer ddod ataf fy hun ymhen hanner awr ... Y tro hwn deallais wedyn mai y stiwdents* [yn hytrach na Capten Whale] *oedd i ofalu am ollwng drop bob rhyw hyn a hyn i'm cadw i gysgu ... Yr oeddwn jyst â mygu. Codais yn sydyn ac yr oeddwn ar fy nhraed.*

Hynny yw, roedd Ellis yn effro pan ddylai fod yn cysgu o dan effaith y clorofform. Y tro nesaf gwrthododd adael i'r stiwdent fod yng ngofal y gwaith hwnnw. Pan ddihunodd roedd wedi cysgu dwy noson a dau ddiwrnod. Deallodd gan nyrs mai'r stiwdent unwaith eto a fu wrthi'n ei gadw ynghwsg. A dyma hanes y bore wedyn pan alwodd y stiwdent:

> *Cynhyrfais yn syth. Am fy mod yn 'No. 6 Bed' nid oeddwn yn bell o'r drws. Gafaelais mewn mẁg oddi ar y locyr a lluchiais ef ato. Fel y digwyddodd, hitiais ffrâm y drws ac fe dorrodd y*

mẁg ac fe sgrapiodd y darnau dipyn o'i wyneb. Ac yn ei ôl ag ef i'r ward arall. Yna daeth y Doctor ei hun ataf a dweud nad oedd gan y stiwdent ddim help. Dywedais wrtho na faddeuwn ac mai gwell fyddai iddo gadw o'r golwg ... Nid oeddwn yn bwriadu rhoi fy mywyd iddo i chwarae ag o.

Ni welodd Ellis y stiwdent byth wedyn. Cawn hanes digwyddiad dramatig arall ganddo wedi i brif weinyddes o Ogledd Iwerddon a nyrs o'r De ynghyd â chlaf o Tipperary ddechrau dadlau. Aeth pethau o ddrwg i waeth gyda'r ddwy ferch yn cwffio. Asgwrn y gynnen oedd gwleidyddiaeth Iwerddon. Bu'r ddwy yn crafu ac yn tynnu gwallt ei gilydd hyd at waed. Ni ellid eu gwahanu. Cafodd y brif weinyddes 'glustan', meddai, gan y nyrs o'r Sowth. Ni welwyd y nyrs yno wedyn:

Deuthum i ddeall fod pethau'n ddrwg rhwng y Sowth a'r North. Roedd siarad am Sinn Féin yn codi helyntion.

Derbyniodd Ellis lythyr o'r Traws yn dweud fod Robin Owen, Bromfield, Bronaber mewn ysbyty yn Rouen. Bu hwnnw farw o'i glwyfau trannoeth. A dyma Ellis yn sylweddoli iddo weld chwaer Bob, y diwrnod cynt, yn pasio drwy'r ward. Dyma glywed wedyn fod un arall o'r hen fro, a adnabyddai fel Davies, mewn ysbyty arall gerllaw. Gofynnodd, gyda chyfaill o Ganada â'r cyfenw Oxford, am fenthyg lifrai *khaki* er mwyn mynd allan. Ac yn wir, canfu'r ddau ohonynt Davies ar ben bwrdd yn diddanu criw yn un o wardiau'r ysbyty arall. Ar y pryd, meddai Ellis, roedd yn dynwared Humphrey Jones, Hafoty Bach yn trin ci yn sioe gŵn y Traws. Roedd Davies yn chwys domen a phawb arall yn chwerthin. Roedd Davies yn gryn gerdyn, ac amheuai Ellis iddo ffugio salwch er mwyn cael gadael ei fataliwn, yr 17eg. Roedd wedi gwneud rhywbeth tebyg o'r blaen yn

Llandudno, meddai, pan ddeallodd fod y fataliwn i symud.

Yn y cyfamser, parhau wnâi'r driniaeth. Yn dilyn un llawdriniaeth cawn Ellis yn dioddef gwaedlif. Yna caiff reswm arall dros gasáu'r Ffrancwyr. Wrth iddo ef a Jock ac Oxford grwydro o gwmpas gardd yr ysbyty, oedant i wylio golygfa gyffredin i Ellis, sef ffermwr yn aredig – ond mewn dull tra gwahanol i'r arferion yn y Traws. Roedd y ffermwr ar gefn ceffyl a'i wraig yn straffaglu rhwng cyrn yr aradr bren. Yna dyma'r ffermwr yn disgyn ac yn mynd i ochr y clawdd i orwedd ar y borfa tra oedd ei wraig yn llafurio. Aeth hyn yn ei flaen drwy'r prynhawn a'r min nos. Yn wir, digwyddodd yr un peth trannoeth. Methodd y tri â goddef mwy ac aethant draw i geisio perswadio'r ffermwr i newid y drefn. Ni ddeallai yntau. Cydiodd Oxford yn ei war a mynd ag ef at yr aradr. Ond methwyd yn lân â'i gael ef na'i wraig i ddeall. Bygythiodd y ffermwr gwyno wrth awdurdodau'r ysbyty, ond ni chlywyd dim byd wedyn.

Un dydd hysbyswyd y cleifion fod rhywun pwysig yn golygu galw ar ôl cinio. Gofynnwyd i'r cleifion mwyaf abl helpu i dwtio a glanhau'r ward yn drwyadl. Daeth gorchymyn i bawb oedd yn ddigon iach i sefyll wrth eu gwelyau. A dyma ddau o bobl dra arbennig yn cyrraedd:

> *Fe ddaeth y Brenin a'r Frenhines gydag ef am ei fod wedi clywed am waith y Doctor. Yr oedd David Lloyd George, Prime Minister wedi dod drosodd i fynd i fyny i'r trenshys. Roedd y rhyfel yn gwella a'r Germans yn ritrîtio mewn llawer lle. Ysgydwodd y Brenin law â phob un ohonom ... Fe gydiodd y Frenhines yn fy nhrwyn a gofyn a oedd yn sownd. Wedi iddynt fynd fe gawsom de parti a chonsert.*

Ie, y Brenin Siôr V a'r Frenhines Mary oedd yr ymwelwyr ar ôl clywed am gampau llawfeddygol Valadier. Ac nid pawb fedrai honni i frenhines ysgwyd ei drwyn!

Mae'n rhaid fod Valadier a'i waith wedi gwneud argraff fawr ar y Brenin. Ymhen ychydig wythnosau gwahoddwyd y llawfeddyg draw i Lundain ganddo. Cyn hynny perswadiwyd ef i gymryd at fwy o waith gan ehangu'r ysbyty yn Boulogne er mwyn creu ward i swyddogion. Erbyn hyn deuai myfyrwyr o bob rhan o'r byd draw i weld Valadier wrth ei waith. Cofiai Ellis am un grŵp o 30, yn cynnwys myfyrwyr o Tsieina a'r India, yn ymweld â'r ysbyty. Ellis a Jock a gâi'r fraint o agor y llenni ar y silffoedd lle cedwid y penddelwau, gryn ddeugain ohonynt. O weld yr olygfa byddai rhai'n llewygu ac eraill yn gorfod cael dracht o ddŵr.

Draw yn Lloegr roedd y Brenin yn awyddus i weld Valadier wrth ei waith yno. Yn Ysbyty Sant Siôr cafwyd hyd i glaf y bu triniaeth wynebol arno yn fethiant, ac aeth Valadier ati i'w drin. Ond doedd hynny ddim yn ddigon. Roedd llawfeddygon yn Lloegr yn awyddus i weld Valadier yn trin claf o'r dechrau i'r diwedd. Penderfynwyd cadw golwg ar gleifion wynebol a gâi eu cludo adref ar longau o Ffrainc. Dewiswyd un, a bu'r Brenin ei hun yn dyst i'r driniaeth. Dychwelodd Valadier i Boulogne gyda rhuban glas ar ei frest.

Daeth yn Nadolig unwaith eto – hyn, mae'n rhaid, yn 1917– a cheisiodd y gelyn fomio'r ysbyty. Ond ni laddwyd neb. Yna daeth y newydd mawr i Ellis a'i gyfaill Jock eu bod i gael mynd adref:

> *Daeth y diwrnod cael mynd. Cychwyn am y llong i'r harbwr am bump o'r gloch y bore. Pan oedd y llong yn cychwyn yr oedd yn dechrau dyddio. Yr oedd yn ddiwrnod braf iawn pan wnaethom gyrraedd Southampton. Cawsom ein hunain yn Whipps Cross Hospital.*

Wedi tridiau yno, yn Waltham Forest ger Llundain,

Cerdyn post a anfonwyd adref gan Ellis o'r llong yr SS Invictia, *a gariai filwyr rhwng Calais a Boulogne*

cawsant ganiatâd gan y Metron i fynd allan i'r dref a chael teithio ar y bysys am ddim. A daw'n amlwg fod gofyn iddynt wisgo dillad arbennig a fyddai'n eu gwahaniaethu oddi wrth eraill:

> *Yr oedd Jock a minnau'n gwneud ein hunain yn barod bob dydd am y bws un o'r gloch. Nid oedd fawr neb yn yr hospital ar eu traed am mai dynion gwael oeddynt i gyd. Am fod* [gennym] *y dillad glas a'r tei goch roedd pawb yn garedig iawn, rhai yn mynd â ni i nôl bwyd a mynd â ni i'r pictiwrs.*

Gan fod gwelyau'n brin ac Ellis a Jock yn gymharol iach, fe'u hanfonwyd i Ysbyty Romford Union, tŷ mawr ar gyfer cleifion oedd yn gwella. Yna, ar ôl derbyn eu papurau swyddogol fe'u gwahanwyd, Jock yn mynd adref i'r Alban ac Ellis i bencadlys ei fataliwn yn Wrecsam. Gallasech feddwl y câi Ellis, wedi ei holl dreialon, ei esgusodi rhag mwy o wasanaethu fel milwr a'i anfon adref. Ond na.

Credir i ddwy filiwn o filwyr Prydain gael eu hanafu yn y Rhyfel Mawr. Anfonwyd y mwyafrif yn ôl i ymladd. Roedd Ellis yn eu plith:

Wedi bod yn Wrecsam am wythnos, cefais 'leave' i fynd gartref am dair wythnos a riportio yn ôl yn Wrecsam. Nid oeddwn wedi bod adref ers tair blynedd ... Egseitment go arw oedd cael mynd adref hefyd am fy mod wedi fy nghlwyfo yn fy wyneb a phawb yn gwybod amdanaf. Ni allaf ddweud fy mhrofiad y diwrnod hwnnw pan yn mynd o'r stesion i'm cartref, a phawb, mae'n debyg, yn ceisio cael golwg arnaf ... Ac yna ymddangosodd fy nhad, ond nid oedd yn fy adnabod.

Ymhen tair wythnos fe'i cawn yn ôl yn Wrecsam ymhlith cant o gyd-glwyfedigion a dim sôn am gael eu rhyddhau, er bod gofyn iddynt ymweld â'r meddyg bob bore. Yn wir, un dydd gorchymynnwyd iddynt i fynd mewn lorri i gasglu eu reiffls. Gwrthododd y dynion symud. A gwrthod wnaethant trannoeth hefyd. Cyrhaeddodd rhyw Uwch-sarjant a oedd 'yn gweiddi'n arw' ond ni chymerodd neb sylw ohono. Yn y diwedd aethpwyd â'r reiffls i'r trên a gorfodwyd y dynion i ddilyn. Mae hwn yn ddigwyddiad diddorol. Roedd gwrthod gorchymyn yn medru golygu miwtini. A gallai miwtini arwain at wynebu'r gosb eithaf. Nid yw Ellis yn manylu, ond o'r diwedd plygodd y dynion i'r drefn:

Cawsom wybod i lle'r oeddym yn mynd, a'r lle hwnnw oedd Iwerddon. Roedd y 'Southern' wedi bod yn gwneud helynt. Cyrhaeddom Lerpwl ac ar y llong ac roedden yn well llongwr nag oeddwn yn feddwl. Cysgais yn dawel ar hyd y fordaith.

Glaniwyd yn Nulyn ac yna teithio ar y trên i Belfast a mynd i wersyll yn Swydd Antrim ugain milltir i ffwrdd,

Gwersyll Randalstown yng Ngogledd Iwerddon lle'r anfonwyd Ellis gyda'i gatrawd ar ôl iddo gael ei glwyfo yn Mametz

Gwersyll Randalstown. Ni chawn wybod fawr ddim am y sefyllfa yno er bod 1918 yn flwyddyn gythryblus o ran gwleidyddiaeth Iwerddon. Roedd y Gweriniaethwyr a llawer o bobl fwy cymedrol yn ffyrnig yn erbyn cyflwyno'r Ddeddf Gwasanaeth Milwrol, a olygai gonsgripsiwn, ar y 18fed o Ebrill. Roedd Unoliaethwyr Ulster, ar y llaw arall, yn ffyrnig o blaid. Fel rhan o'r gwrthwynebiad chwyrn galwyd streic gyffredinol. Enillodd Arthur Griffith isetholiad yn Nwyrain Cavan i Sinn Féin. Arweiniodd hyn ddiwedd y flwyddyn at i'w blaid sgubo i rym drwy ennill 73 o'r 105 etholaeth. Ar y gorwel roedd Blwyddyn y Braw, a welai Ryfel Annibyniaeth a dyfodiad y 'Black and Tans'. Ond gan Ellis ni chawn wybod mwy na bod y 'Southern' wedi bod yn gwneud helynt.

Unwaith eto, roedd gan Ellis fwy o ddiddordeb yn ansawdd y tir o'i gwmpas ac arferion ffermio'r trigolion nag yn y sefyllfa wleidyddol. Tir caregog oedd yno, meddai, ond roedd y Gwyddyl yn ddarbodus iawn wrth wneud y defnydd gorau o'r gwaethaf. Ymddangosai bywyd yn galed, a'r gwartheg a'r ceffylau'n bur denau. Sylweddolodd eu bod yn byw bywyd caled a llafurus. Roedd golwg dlawd ar y bobl ac ar eu gwartheg a'u ceffylau. Daliodd ar y cyfle i alw mewn ambell fferm a sgwrsio â'r ffermwyr:

> *Sylwais ar eu dull o blannu tatws. Roeddent yn rhoi y dysen ar y tir glas rhyw bymtheg modfedd cydrhwng y rhesi. Torri torchen ar yr ochr allan, rhoi y dorch a'i hwyneb i lawr ar y dysen ac yna codi pridd a'i wneud fel gwely gwastad. Weithiau ni fyddai y rhes datws ond rhyw chwe llath o hyd. Roedd yn dibynnu ar graig neu garreg fawr. Ond mi fyddent yn ofalus am ei drin i gyd a byddai ganddynt ddigon o datws. Roedd y Gwyddel yn arw iawn am dysen bron bob pryd.*

Yn y gwersyll fe godwyd parti canu gan y Sarjant Lewis, ac Ellis yn aelod. Cynhaliwyd ambell i noson lawen yn y gwersyll yn cynnwys eitemau unigol, deuawdau a pherfformiadau gan offerynwyr mewn band. Yna, galwyd y dynion allan i atal ffrwgwd yn Belfast wedi i rywun gael ei ladd a bu'n rhaid cadw'r heddwch ar y strydoedd. Ond ymddengys na chafwyd fawr ddim trafferth bryd hynny nac wedyn, meddai. Ac yn ôl â hwynt i'r lle dechreuodd y cyfan, gogledd Cymru. Fe'u hanfonwyd i Barc Cinmel, y Rhyl.

Yno doedd Ellis yn gwneud dim byd mwy na chicio'i sodlau. Yr unig ddyletswyddau oedd ymweld â'r meddyg a mynychu'r 'sick parade'. Câi'r dynion deithio am ddim ar y trên i'r dref. Ond trawyd y gwersyll gan y ffliw, a bu farw nifer o'r milwyr. Cleddid dau neu dri bob dydd mewn angladdau milwrol, a reiffls yn cael eu tanio dros yr arch. Gwelodd Ellis gladdu pedwar gyda'i gilydd un tro. Yng ngwledydd Prydain yn unig bu farw chwarter miliwn o'r ffliw honno. Yn wir, bu farw mwy o'r ffliw o fewn blwyddyn nag a fu farw o'r Pla Du mewn canrif gyfan.

Ellis gyda'i frawd John Henry. Heb weld ei gilydd ers tair blynedd, cyfarfu'r ddau ar hap.

Un dydd aeth Ellis a rhai o'i ffrindiau allan i'r wlad am dro, a phwy welodd ond John, neu Jac Henry, ei frawd iau, ymysg criw o 'Signalers', a hynny am y tro cyntaf ers tair blynedd. Roedd yntau wedi bod yn Ffrainc ac wedi ei anafu yn ei droed. Yna, yn ôl i Wrecsam ag Ellis ac o'r diwedd daeth yr hyn yr hir ddisgwyliodd amdano, y 'Discharge'.

Byr fu'r llawenydd. Doedd dim gwaith yn ei ddisgwyl gartref ac fe'i gorfodwyd i fynd ar y dôl, a theithio i Flaenau Ffestiniog bob dydd Gwener i gasglu ei 25 swllt yr wythnos. Cafodd waith rhan-amser yn dosbarthu llythyron am gyfnod ac yna fe'i cyflogwyd i lusgo coed gyda cheffylau Hendre Mur, fferm Hugh Davies, a chario nwyddau mewn wagen o stesion Maentwrog ar ran Jones Porthmadog. Eraill oedd yn gweithio gydag ef oedd Thomas Jones, Dolgam gyda'i geffyl ac Evan Rowland, Utica, cariwr i stesion Porthmadog.

Daw'r gwaith llusgo coed i ben a rhaid iddo fynd yn ôl ar y dôl. Yna, ac yntau a Spot y ci yn mynd am dro i ddal cwningod, daw wyneb yn wyneb â Mr Vaughan, Sgweier Nannau, Dolgellau, a oedd yn gyfranddaliwr gyda'r Great Western Railway. Roedd yn gyfarwydd â hwnnw o'r dyddiau'n gweithio yn Llwyncrwn, meddai, a'r sgweier yn galw i brynu gwartheg i'w gyrru i Loegr. Gofynnodd i'r Sgweier a fedrai hwnnw ei helpu i gael gwaith. Aeth amser hir heibio heb unrhyw ymateb.

Yna dyma lythyr yn cyrraedd yn ei wahodd i alw yn stesion Trawsfynydd. Yno caiff brawf darllen Saesneg ac adnabod lliwiau gan yr Arolygwr Davies. Ac yn wir, caiff waith, gan gychwyn ar yr 16eg o Orffennaf 1919. A chyda'r rheilffordd y bu, meddai, nes ymddeol:

> *Dechreuais fel parsel porter yng ngorsaf y Bala. Ond nid oedd ond temporary. Ac yno bûm yn gweithio am 41 mlynedd nes riteirio yn 65 oed. Yn ystod yr amser yna gwelais amryw o gyfnewidiadau. Nid oedd y gwaith ond temporary nes y deuai'r bechgyn adre o'r rhyfel. Yn ystod y cyfnod hwn o naw mis cefais gyfle i ailgyfarfod ag hen gyfeillion a chydnabod pan oeddwn yn gweini yn Llidiardau a Rhosygwalia a hefyd gwneud cyfeillion newydd.*

3823. RW4

Army Form B. 2079.

WARNING.—*If you lose this Certificate a duplicate cannot be issued.*

Certificate of discharge of No. 26129 (Rank) Pte

(Name) Ellis Williams

(Regiment) 4th R. WELSH FUSRS

who was enlisted at Blaenau Festiniog

on the 10. 6. 1915.

He is discharged in consequence of Being

No longer ... for War

Service ... K.R.

after serving 3. years 59 days with the Colours, and

—— years —— days in the Army Reserve.

(Place) Shrewsbury

(Date) 7. 8. 18.

Signature of Commanding Officer: ... Major, No2 ...

*Description of the above-named man on 7. 8. 18 when he left the Colours.

Age 23 2/12 yrs

Height 5 ft. - 6"

Complexion Ruddy.

Eyes Blue

Hair Dark Brown

Marks or Scars, whether on face or other parts of body.

... forearm

Scar ... forearm

1918

*Should agree with the description on Character Certificate, Army Form B.2067

N.B.—Any person finding this Certificate is requested to forward it, in an unstamped envelope, to the Secretary, War Office, London, S.W. 1.

Ffurflen swyddogol yn rhyddhau Ellis o'r Fyddin ar ôl tair blynedd a 50 diwrnod o wasanaeth

Yn ystod y cyfnod hwn ymgymerodd â gwahanol fathau o waith rheilffordd, yn cynnwys gwasanaethu fel peiriannydd ar y 'length' o'r Arenig i arhosfan Tyddyn Bridge ger y Fron-goch. Bu yn y swydd honno am dair blynedd.

O hyn tan ddiwedd yr atgofion cyfynga Ellis ei hun i sôn

am ganu ac am gystadlu mewn cyrddau cystadleuol ac eisteddfodau, yn cynnwys Prifwyl Caernarfon, lle daeth ei gôr yn ail. Nid yw'n cofio'r flwyddyn ond 1921 oedd hi, pan enillwyd y Goron am gerdd am y Rhyfel Mawr gan un a fu yno. Y bryddest oedd 'Mab y Bwthyn' a'r bardd oedd Cynan. Bu Ellis yn canu mewn partïon mewn cyrddau yn yr Arenig, Llidiardau, Tal-y-bont a Thy'n-y-bont. Enwa gerddorion lleol fel John Anthony Jones, Bochyrhuad, Ed Jones, Bwlchbuarth a Watcyn Jones, y Post a'i deulu.

Cawn ganddo fod y cythraul canu'n gryf, gan gynnwys ffafriaeth a llwgrwobrwyo beirniaid. A llawer iawn o dynnu coes. Yn y cyfamser mae Ellis yn cael ei symud i 'length' arall, sef Cwm Prysor, gyda Howel Jones o'r Bala yn 'Ganger'. Aiff yn ôl wedyn i sôn mwy am gystadlu, am Gôr Meibion Prysor dan arweiniad J. R. Jones (Eos Prysor) ac yntau'n ymuno a'r côr hwnnw, a'i dad yn ei hyfforddi fel 'First Tenor'. Cyfeiria hefyd at John Lloyd Edwards, Blaenau Ffestiniog fel hyfforddwr.

Cofia am y parti'n canu 'Martyrs of the Arena' mewn cyngerdd mawr yn y Bala a'r cystadlu ffyrnig rhwng ei barti ef, Parti Prysor, a Pharti Llanfor. Wrth i aelodau'r côr gyrraedd stesion y Bala ar y trên roedd y platfform yn llawn cefnogwyr a pherthnasau yn bloeddio'u cymeradwyaeth. Yn wir, fe wnaeth rhywrai fetio ar y canlyniad, swm a gododd i 25 swllt, a Pharti Prysor yn ennill. Roedd hyn yn arian mawr, meddai Ellis, o ystyried mai dwy bunt oedd y gyflog wythnosol bryd hynny.

Nid yw'r cyfan o'r atgofion o'r cyfnod hwn yn rhai hapus:

Cofiaf i ni fynd i Eisteddfod Calan. Cyn i'r cyfarfod derfynu aeth yn storm o eira mawr. Cychwyn adref, ac wedi dyfod i'r Ganllwyd yr oedd yr eira'n drwchus a'r gwynt yn codi. Dyma stopio, a'r storm yn arafu ond gormod o eira ar y ffordd i'r bws. Yna dechrau cerdded adref. Cyraeddasom rhywbryd cyn y bore bach. Bu'r daith yn ormod i un, sef Robin Vaughan, fel y galwem ef. Fe oerodd a bu farw.

Yna deuwn yn sydyn at y cofnod olaf:

Yn y flwyddyn 1924 bu farw fy nhad o hen glefyd y chwarel yn ddwy a thrigain. Yn y flwyddyn 1925 ymbriodais â Margaret Williams, Manchester House, merch Jane Williams a Lewis Williams y Bugail (gynt).

Ond nid dyna ddiwedd y stori. Yn dilyn ei farwolaeth yn 1967 bu'n rhaid i Margaret, ei weddw, wneud cais am bensiwn rhyfel gan i achos marwolaeth Ellis gael ei briodoli i thrombosis coronaidd, hynny yw, marwolaeth naturiol. Mynnai Margaret, yn gwbl gyfiawn, i farwolaeth ei gŵr gael ei achosi gan ôl-effeithiau clwyf a chan anafiadau a achoswyd o ganlyniad i'w wasanaeth yn y rhyfel.

Nodir yn y llythyr cais i Ellis wasanaethu am dair blynedd a thrigain namyn un o ddyddiau. Nodir hefyd i'w dystysgrif rhyddhau ei ddisgrifio fel dyn sobr, gonest a gweithgar. Treuliodd ddwy flynedd a 67 diwrnod yn Ffrainc a'i anafu ddwywaith. Nodwyd iddo gael ei ryddhau ar y 7fed o fis Awst 1918 am nad oedd bellach y ddigon iach ar gyfer gwasanaeth rhyfel. Derbyniasai 80% o bensiwn, sef 32 swllt yr wythnos.

Dadl Margaret oedd bod y llawdriniaethau niferus a ddioddefodd ei gŵr, yn cynnwys grafftio asgwrn ac ail-greu ei wyneb, wedi arwain at ddirywiad ei holl gyfansoddiad. Dioddefodd o fadredd yn Givenchy, a hynny oherwydd effeithiau nwy gwenwynig. Ac, wrth gwrs, dioddefodd yr anaf difrifol i'w wyneb ym Mametz. Roedd y madredd, meddai'r llythyr cais, yn ôl tystiolaeth meddyg wedi arwain at broblemau cylchrediad y gwaed, a achoswyd gan geuliad gwaed o ganlyniad i'r madredd. Ar y 29ain o Fawrth 1966 bu'n rhaid iddo gael un o'i goesau wedi ei thorri i ffwrdd. Ceir gan Margaret gadarnhad i'w gŵr gofnodi'r ffaith honno mewn cofnodion ar ffurf dyddiadur wrth iddo dreulio tri mis yn yr ysbyty. O ganlyniad i golli ei goes, er iddo gael swyddi gyda chwmni'r rheilffordd, ni fedrai ddygymod â gwaith trwm. Roedd ei brofiadau wedi arwain hefyd at ddolur pen parhaus ac at ddioddef o'r eryrod.

Does dim cofnod yn nodi a fu cais Margaret yn llwyddiannus. Y gwarth yw iddi orfod gwneud y fath gais yn y lle cyntaf. Fel y nododd yn ei llythyr, roedd ei gŵr, y Preifat Ellis Williams, Rhif 26129 o'r Ffiwsilwyr Cymreig, wedi gwasanaethu ei wlad yn wrol.

'I wlad sydd well i fyw ...'

Daw rhyw fath o drobwynt mewn bywyd i bawb. Gall fod yn rhywbeth sy'n ymddangos yn ddibwys ar y pryd ond sy'n medru arwain at drawsnewid cwrs bywyd yn llwyr. Derbyniodd Ellis Williams fwy na'i siâr o drobwyntiau. Hawdd credu fod ei brofiad yn blentyn fel postmon i filwyr Gwersyll Bronaber wedi dylanwadu ar ei benderfyniad yn ddiweddarach i listio. Dyna'i wrthodiad wedyn i barhau fel *Batman* i'r *Adjutant.* Petai wedi cytuno i barhau yn y swydd ni fyddai wedi gorfod mynd ar gyfyl y ffrynt. Ond y trobwynt mwyaf fu hwnnw na ddigwyddodd, un a allai fod wedi sicrhau y byddai Ellis erbyn dechrau'r Rhyfel Mawr yn ddiogel ym mhen draw'r byd, ymhell o sŵn y rhyfel.

Yn 1907 penderfynodd un o'r meibion, Evan Robert (Evan Bob), yn 21 oed ymfudo i Batagonia. Bedair blynedd yn ddiweddarach dilynwyd ef gan ei frodyr Willie, 22, ac Owen, 17 oed, a oedd ymhlith y criw olaf o ymfudwyr i hwylio am y Wladfa, a hynny ar yr 2il o Dachwedd 1911. Roedd yno hefyd docyn i Ellis, 15 oed, ar y llong yr *Oreta.* Ond yn ôl Dwyryd Williams o Ddolgellau, ataliwyd Ellis rhag mynd. Meddai Dwyryd, sy'n ŵyr i frawd arall, John Henry, a gor-nai i Ellis ac yn un sydd wedi gwneud llawer o waith ymchwil ar hanes yr ymfudwyr teuluol, ataliwyd Ellis rhag mynd. Meddai Dwyryd:

Brodyr Ellis yn y Wladfa – Robert Williams a'i wraig Matilda (yn eistedd gyda'i thad Hopkins Howells), ac yn sefyll, y brodyr William Williams (Prysor) ac Owen Williams. Tynnwyd y llun yn y Gaiman tua 1915

Yn ôl Anti Dilys o Traws, sef Mrs Dilys Lloyd Thomas, roedd gan Yncl Ellis, sef y pedwerydd mab, docyn i deithio ar yr *Oreta* hefyd ond roedd meddwl am ffarwelio ag yntau yn ormod i'w dad, ac fe losgodd William Williams ei docyn. Mae'n debyg i Yncl Ellis edliw llawer am hynny yn ystod ei oes.

Yn ôl Cyfrifiad 1901 roedd William Williams yn 'Slate Quarry Rockman'. Cawn fod y mab hynaf, Evan Robert, 15 oed, hefyd yn chwarelwr. Yn ôl Dwyryd ganwyd deuddeg o blant i William a'i wraig Ellen. Roedd yna sôn, meddai, fod yna gymaint o fabanod a phlant bach yn y cartref fel y byddai'n rhaid iddynt, yn eu tro, gysgu mewn droriau agored. Ond fe wnaeth pedwar farw'n ifanc iawn – Robert, y cyntaf-anedig, yn dair, Kate yn ddeufis, Olwen yn bedair a Mary, yr olaf i'w geni, yn saith wythnos oed. Cawn gwestiwn gan Dwyryd, ac ateb i'r cwestiwn hwnnw:

William 'Prysor' Williams (1889 – 1945), brawd i Ellis, bardd, awdur a cherddor. Enillodd Goron Eisteddfod y Wladfa 1921 am ei bryddest 'Y Paith'. Bu hefyd yn olygydd Y Drafod.

> Pam fod Evan Bob wedi mentro i wlad mor bell? Wel, doedd yna fawr o gyfleoedd i fachgen ifanc wella ei statws o fewn yr economi leol bryd hynny. Roedd y rhan fwyaf o'r hogia oedd ddim yn amaethu yn mynd i weithio yn y chwareli ym Mlaenau Ffestiniog – gwaith peryglus a chaled. Roedd bod yn was fferm yn waith eithaf israddol a'r cyflog yn wael iawn. Roedd dipyn mwy o statws i fod yn chwarelwr. Roedd bywyd yn dechrau dod yn fwy llewyrchus yn y Wladfa yn y cyfnod hwnnw. Roeddynt wedi datblygu system o gamlesi i ddyfrhau'r tir sych ac roedd amaethyddiaeth yn dechrau ffynnu. Roedd yna fwy o dractors a pheiriannau modern yn y Wladfa bryd hynny nag oedd yna yng Nghymru.

Mae'n siŵr fod Evan Bob yn canmol ei le yn y llythyrau a anfonai gartref ac yn y flwyddyn 1911 fe ddilynwyd ef gan ddau o'r brodyr eraill. Mae'n bosib hefyd fod y bechgyn yn gweld sut roedd y gwynt yn chwythu yn Ewrop. Roedd cymylau rhyfel yn dechrau ymgasglu ar y gorwel a hwyrach fod hynny wedi bod yn ffactor ym mhenderfyniad y bechgyn.

Cawn fod Evan Bob yn ddarllenwr brwd ac yn Gomiwnydd rhonc. Yr amlycaf o'r tri ymfudwr oedd Willie. Bu'n was fferm yn ardal y Traws, yn cynnwys Y Gors, yn ogystal â gweini ymhellach i ffwrdd, fel y nodwyd, yn ardal y Parc ger y Bala. O fynd i'r Wladfa ymgartrefodd yn ardal y Gaiman, yn agos i'w frawd mawr, lle daeth yn ffermwr llwyddiannus. Roedd yn fardd amlwg, a mabwysiadodd yr enw barddol Prysor. Mae Cadair a enillodd yn 1920 i'w gweld yn yr amgueddfa ym Mhorth Madryn a Chadair 1921 ynghyd â Choron 1918 i'w gweld yn yr amgueddfa yn y Gaiman. Bu hefyd yn arweinydd Côr Plant y Gaiman, yn ddirprwy Archdderwydd Gorsedd Beirdd y Wladfa ac yn olygydd papur Cymraeg y Cymry alltud, sef *Y Drafod*. Bu farw'n sydyn tra oedd ar ymweliad â Buenos Aires yn 1945, ac yno y'i claddwyd.

Dwy o gadeiriau eisteddfodol Prysor sydd i'w gweld yn y Wladfa o hyd

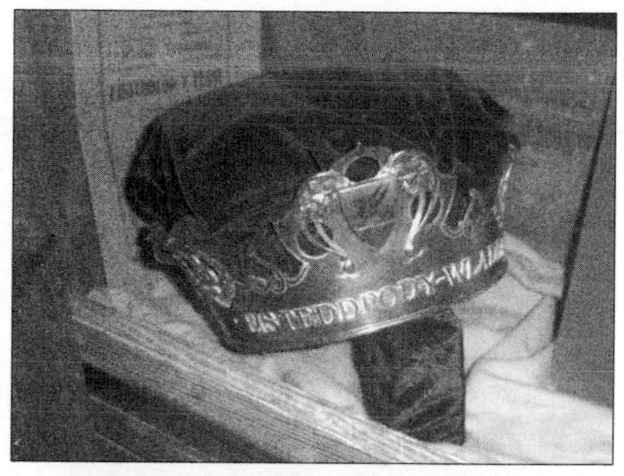

Coron Prysor - i'w gweld yn yr Amgueddfa yn y Gaiman

Mentrodd Owen ar draws y paith a chartrefu yn y Cwm, sef Cwm Hyfryd yn ardal Trevelin ac Esquel wrth droed yr Andes, dros dri chan milltir oddi wrth y ddau arall. Aeth tua 30 mlynedd heibio cyn i Evan Bob lwyddo i weld Owen yn y wlad bell.

Mae gan Dwyryd nifer o lythyron teuluol yn ei feddiant, y cynharaf wedi ei anfon o'r Traws ar Chwefror y 9fed 1913 gan y tad at Owen. Erbyn hyn roedd y teulu'n byw yn 13 Stryd Penygarreg. Does yna ddim byd syfrdanol o ddiddorol yn y llythyr hwn, medd Dwyryd, ar wahân i bryder y tad am ddiffyg gwybodaeth am sefyllfa Willie, gan nad oedd wedi clywed oddi wrtho ers tro. Ceir cymysgedd o hanes y byd a hanes y fro, o gyfeirio at suddo'r *Mauretania* at gyfeiriad at farwolaeth llanc ifanc yn y chwarel:

> Syrthiodd bachgen 23 oed dros y dyfn yn yr Oakeley's neithiwr fel y bu farw ymron ar unwaith.

Mae natur ffwrdd â hi'r sylw yn awgrymu fod digwyddiadau o'r fath yn achlysuron digon cyffredin.

Ceir ambell gyfeiriad at gyflwr economaidd Cymru ac ardal y Traws, sy'n ategu, o bosib, pam yr ymfudodd y tri brawd. Dywed William Williams:

Evan Robert a'i wraig, Matilda - Prysor, Islyn, Elis – boddodd Elis dan y bont dros y ffos ochr isaf i'r Plaza, Gaiman. Mae'n ymddangos felly fod ganddynt fab o'r enw Prysor. Daeth rhagor o blant yn eu tro – Onen, Rhirid ac Eri

... rhyw sŵn symud cyson oddi yma sydd, dim gwaith ar gyfer neb, ond i ryw ychydig ymfodlona i fynd at y ffermwyr am ryw trifle. Y mae tri yn mynd i'r South fory, Dei Penrallt, Will Llewelyn a Wil Jones.

Daeth hyn, medd Dwyryd, â nofel T. Rowland Hughes, *William Jones*, mewn cyfnod diweddarach i'r cof. Ceir llythyr arall gan William Williams at Owen yn ddyddiedig 12fed o Fawrth 1916. Dyma ran arwyddocaol o'r llythyr hwnnw:

Rwy'n credu fy mod wedi eich hysbysu ddarfod i Ellis gael ei glwyfo yn ysgafn yn Ffrainc trwy gael ei daro â darn o shrapnel yn ei ben, felly ni waeth heb ymhelaethu am hynny; yr hanes diweddaraf amdano yw ei fod yn reit dda. Nos Wener daeth gair oddi wrtho at Dodo Jane yn hysbysu iddo gael dod o'r trenches unwaith eto yn fyw ac iach, a theimlai yn ddiolchgar iawn am hynny, yn fwy felly y waith hon nag erioed, am iddo fod yn llygad-dyst o un o'i gyfoedion yn cael ei glwyfo yn farwol, wedi ei gydfagu yn yr ardal hon, sef

O'r chwith i'r dde – Mary Vaughan, a ddaeth yn wraig i Willie (Prysor) ymhen blynyddoedd, Prysor ac Owen – tua 1912/1913

Griffith Llewelyn, mab D. Morris, fy nghefnder. Ni roddodd lawer o fanylion ond dywedai iddo farw yn dawel a di-boen yn ôl pob golwg, gan ddweud wrth ei gyfaill agosaf ato, 'good bye, dyma fi yn mynd'. Claddwyd ef yn barchus ar y 5ed o Fawrth. Ni bu ei dad yn ei gladdu am ei fod yn rhy bell oddi wrthynt ar y pryd ... dyna fydd hanes llawer ohonynt yn ddi-os, ni wyddom pa bryd, ie pa funud y digwydd niwed iddynt yno.

Gan fod y llythyr wedi ei ddyddio ganol mis Mawrth, cyfeirio wna William Williams, mae'n rhaid, at yr anaf hwnnw a demtiodd Ellis i rwbio pridd yn y clwyf ar ei ben i wneud iddo edrych yn waeth. Ni ddioddefodd yr anaf mwy difrifol tan ddeufis yn ddiweddarach. Ynglŷn â'r disgrifiad o farwolaeth Griffith Llewelyn Morris, mae Dwyryd yn amau mai bod yn garedig yr oedd Ellis wrth adrodd fod ei gyfaill wedi marw'n dawel a di-boen. Diddorol nodi, meddai, i Anti Dilys glywed Ellis yn adrodd ar sawl achlysur mai diwedd dipyn mwy erchyll a gafodd Griffith Llewelyn. Collodd Dilys ei mam pan nad oedd ond ychydig wythnosau oed, a chafodd loches a chysur gan Ellis a Maggie yn eu cartref ym Maes Tegfryn. Cyn hynny bu gan ei thad gyfres o 'housekeepers'. Ymhen amser priododd y tad ag un ohonynt. Bu honno, mae'n debyg, yn gas wrth Nansi a Dilys a dyna pryd y cymerwyd Dilys gan y ddau.

Yn y llythyr cawn syniad o ddeallusrwydd chwarelwr syml wrth ddadansoddi sefyllfa'r rhyfel ar y pryd:

> Da gennyf ddweud mai methiant o du Germany yw cymryd Verdun hyd yn hyn ac y maent wedi gwneud ymgais anghyffredin i'w chymryd a phrofodd yn gostus iawn iddynt mewn bywydau, ugeiniau os nad cannoedd o filoedd – clywais ddweud fod tynged y rhyfel yn dibynnu ar yr hyn wneir yn y fan hon, ac felly, o'n tu ni y saif pethau hyd yma, a deil Rwsia i wasgaru y Turks o'i flaen. Tybir eu bod bron gweiddi am heddwch, cwyno nad yw yr Almaen yn anfon cyfarpar a help iddo yn ôl y cytundeb, gan ei bod yn rhy galed arno yn y gorllewin, i allu dod i fyny â hi ym mhobman. Daeth â'i submarine newydd allan a gwnaeth gryn ddifrod â hi ar longau masnachol a llwyddo i fynd â hi adre'n ôl, sef y Moerue – nis gwn a lwydda y tro nesaf, y mae darluniad ohoni ganddynt yn awr, dywedir fod nifer o'u llynges wedi dod

allan yn ddiweddar mewn rhyw gongl ym Môr y Gogledd a submarines a trawlers o'u cwmpas, ynghyd â Zeppelins i fyny uwch eu pennau, yn herio ein llynges meddant hwy, ac aethant yn eu hôl adre, y mae'r papurau yma yn ysgafn iawn ohonynt, rhaid iddynt ddyfod allan ar eu dinystr, neu lechu yn eu tyllau er eu cywilydd, hyd ddiwedd y rhyfel.

A dweud y gwir i ti, y mae'r Rhyfel yma wedi mynd yn fwrn ar y gwledydd erbyn hyn, a da fyddai cael gwared ohoni, ond fel y mae'n sicr ni cheid heddwch ond am dymor byr iawn, heb ei ddarostwng yn llwyr. Yr oeddwn yn ysgrifennu address Ellis ar lythyr oddi wrth Mrs Hughes, Y Fron (gwraig Parch Dafydd Hughes, Y Fron, gweinidog Eglwys Moreia) neithiwr. Y mae Parcel eto yn mynd iddynt – o'r Red Cross yma yn fuan, o ddillad isa, a da fydd iddynt wrthynt, dangosir caredigrwydd eithriadol drwy'r wlad tuag at y milwyr.

Mewn llythyr a anfonodd at Owen ym mis Gorffennaf 1920 cawn hanes am fab-yng-nghyfraith iddo, a oedd yn un o wyth i ddeg o ddynion a dorrai fawn ger Llyn Tryweryn am 12 swllt y dydd. Fis Hydref yr un flwyddyn cawn ddarlun o fywyd cymdeithasol y fro:

Canu sydd ar y go yma'n awr, bûm gyda'r Côr yn Ffestiniog, cyfartal oeddym â Chôr y Llan yno, a chyfartal mewn parti o ddeuddeg, ar ganu dwy Dôn, a neithiwr efo'r Côr yn Tanygrisiau a chawsom y wobr yn gyflawn yno – hogi'r arfau yn awr gogyfer â Dolgellau y Calan. Daw i'r cof yn awr mai'r mis hwn y cynhelir Eisteddfod y Wladfa, nis gwn a wyt ti'n trio Solo, gobeithiaf dy fod ac y byddi yn fuddugol. Deallaf fod Willie yn ymgeisydd am y farddoniaeth orau a hyderaf y llwydda yntau i gyrraedd y pinacl.

Mae'r tad yn cyfeirio at sefyllfa Ellis, sydd erbyn hyn mewn swydd oedd yn gyffredin iawn yn oes aur y rheilffordd. Mae'n cyfeirio hefyd at sefyllfa'r glowyr a'r posibilrwydd cryf o streic:

> Mae Ellis yn gweithio bron bob Sul yn awr, fel yr arfer y platelayers yma ar adegau, felly gweli ei fod yn ennill arian mawr ond peth digon annifyr yw bod a'i drwyn ar y maen yn barhaus. Golygu'n ddrwg iawn y mae gyda golwg ar y glowyr. Fe alwyd am ailfotio, a mwyafrif llethol y tro yma eto am strike, os nad yw'r Llywodraeth yn fodlon i'w cyfarfod ar eu telerau; mae pob ochr yn dal yn gyndyn iawn, a dyma'r amser ar ben, y tebyg yw, y bydd gwŷr y Rheilffordd yn uno â hwy, ac y bydd pob olwyn mewn masnach yn gorfod sefyll yn fuan, fuan.

Gwelsom gyfeiriadau tebyg gan Ellis yn ei atgofion o'r un cyfnod. Cawn ein hatgoffa hefyd o galedi bywyd yn ôl yn y Traws o'i gymharu â'r bywyd yn y Wladfa:

> Da gennyf glywed yn llythyr Ellis yn dweud dy fod am fynnu'r cyflog uchaf am dy lafur, er gorfod symud ar ei ôl. 'Am yr aur mae'n rhaid ymorol, heb yr aur bydd pawb ar ôl ...' ... ond cofio'r un pryd, am 'yr aur uwch sydd yn purhau, yn nhirion ddyfnderau' y Datguddiad Dwyfol, diamau dy fod a phawb o ran hynny yn y cwr yna o'r byd yn cael arian mawr. A yw yn hawdd byw er hynny gan fel y mae popeth mor anferthol o uchel, trên, trethi, rhenti, dillad, bara, glo, esgidiau ac yn y blaen i lawr at y manion lleiaf o angenrheidiau bywyd, beth feddyliet o £3 neu £3-5-0 am bâr o esgidiau, yn ymyl £2 am hanner tunnell o lo? Nid oes obaith am lawer o bethau y dylesid eu cael.

Mewn llythyr dyddiedig 17 Hydref 1921 at Owen cawn fod y tad wedi bod yn clafychu. Cawn yng nghysgod hynny ei deimladau tuag at y chwarel:

> ... yr wyf finnau erbyn hyn wedi gwella ac yn barod i waith ond heb ddechrau eto, yr wyf mewn addewid ynglŷn â'r camp yma, ond efallai mai i'r chwarel y rhaid mynd eto, er yr hoffwn gael bod allan, cawn weld.

Daw'n amlwg hefyd fod y meibion am ymsefydlu yn barhaol yn y Wladfa, a bod hynny'n achosi loes calon iddo. Rhaid ei fod yn dyheu am eu gweld yn dychwelyd i'r hen wlad. Dyma ei ymateb i'r newyddion fod Owen wedi prynu tir yn y Wladfa:

> ... clywais dy fod yn dechrau meddiannu rhannau o'r ddaear yna, yr wyt yn sincio dy arian mewn rhan anghysbell iawn o'r cread, os bydd arnat awydd symud rywdro, bydd yn orchwyl cael ei werth yn ôl, ond hwyrach dy fod yn meddwl tario yno dros dy oes.

Mae'r llythyr a anfonodd ar 10 Medi 1922, ac yntau'n 57 oed, yn esbonio nad yw'n iach:

> ... wedi cael tipyn o annwyd, a hwnnw wedi mynd ar fy mrest, lle y bu o'r blaen, fel Bronchitis, ond yr wyf wedi ymlusgo at fy ngwaith hyd yma, mae awydd arnaf aros gartre am wythnos i geisio cael gwared ag ef, yr oeddwn yn iawn nes y bûm yn Pwllheli hefo parti Manod mewn cystadleuaeth a rhyw loetran yn arw ar hyd y ffordd yn ôl, a hi yn oer iawn y nos.

Yna cawn y diweddaraf am sefyllfa Ellis:

> Y mae Ellis wedi cael dyfod i length Cwmprysor i weithio ers rhai wythnosau ac felly, gyda ni bob nos, bydd fodlonach bellach, ni hoffai unigedd yr Arenig.

Cawn awgrymiadau cryf yma ac acw nad yw'r berthynas rhwng y tad ac Owen yn rhyw iach iawn. Ond nid yw hynny'n atal y tad, mewn llythyr dyddiedig 25 Mawrth 1923, rhag dweud ei ddweud am feistri'r chwarel:

> Y mae Cwmnïau y Chwareli yma yn methu gwybod sut i'n cael i weithio am ddigon bychan o arian, a gwasgu arnom. Cyhoeddant yn awr mai pum diwrnod yr wythnos a gawn weithio, a gwyddost pa un o'r chwech yr atelir ni, fel y try y fantais iddynt hwy – arbedant lawer o arian iddynt eu hunain ac ni fydd y 'make' fawr llai.

Ymlaen yn awr at 23 Ionawr 1925, a llythyr oddi wrth Winifred (sef Gwen), un o'r merched, a'i gŵr Dic. Mae ganddi newydd drwg am iechyd ei thad. Yna, ar 18 Mai cawn y newyddion trist ganddi fod y tad wedi marw ar 23 Chwefror. Cawn gan Dwyryd ddyfyniad o'r englyn gan Glan Edon sydd ar ei garreg fedd ym mynwent Pen-y-cefn:

> Mab tawel ymhob tywydd – wele graith
>   Aml groes ar ei ysgwydd.
>   Dan ei gariad neu'i gerydd –
>   Âi'n nes i'w Dad nos a dydd.

O hyn ymlaen daw elfen chwithig a chwerw i'r llythyron gyda gwrthdaro'n digwydd rhwng Ellis a'i chwiorydd, Mag a Nel. Priododd Ellis yn fuan wedi marwolaeth ei dad. Bu'n rhaid i'r chwiorydd fynd i weithio i'r gwersyll er mwyn cael dau pen llinyn ynghyd, a hynny'n cythruddo Ellis. Yn y cyfamser mae Owen, yn amlwg, wedi cynnig cyfrannu tuag at gostau angladd ei dad. Ond dyma beth ddywed Ellis fel ateb, yn gyntaf am ei chwiorydd yn y gwersyll:

> Mae sôn amdanynt ar hyd y lle fel y maent wedi gwrthod gwneud dim hefo fi er mwyn cael gwneud fel ag y fynnon nhw.

Mae'n amlwg hefyd fod Owen, ym Mhatagonia, wedi ateb yn gadarnhaol i'r cais am iddo gyfrannu tuag at gostau'r angladd ac yn y blaen. Ond mae Ellis yn ei gynghori i oedi gan ychwanegu:

> Yr achos yr wyf yn dweud hyn ydi fy mod yn credu mai ei gwario yn ofer a wnânt.

Dengys llythyr oddi wrth Nel fod Owen, yn wir, wedi cyfrannu at gostau'r angladd. Ond cawn fod Ellis, wythnos ar ôl yr angladd, wedi gadael cartref a symud at ewyrth iddo, sef Tom. A beth bynnag am yr anghydfod rhwng Ellis a'i ddwy chwaer, mae'n amlwg ei fod yn dal yn fawr ei barch gan y côr meibion. Dyma beth ddywed Ellis mewn llythyr:

> Pasiwyd yn y Parti Meibion i hel rownd y Wlad i nhad a hynny heb ofyn i mi. Mi feddyliais y peth a chofiais fy nhad yn dweud faint oedd o wedi gael ar draws ei drwyn ac wedi ei boeni pan y buont yn hel iddo o'r blaen adeg oedd Mam yn sâl ganddo. Ac yr oeddwn inna a gormod gennyf iddynt wneud y tro yma, ac hefyd yn teimlo yn rhy uchel i hynny hyd nes y buase yn mynd yn ddrwg arnaf ... wedi ystyried y peth gwrthodais iddynt fynd rownd y Wlad. Felly pechais yn anfaddeuol. Fe ddarfu i'r Parti Meibion hel ond yn mysg eu hunain i roi gydnabod iddo fel aelod, ac am fy mod wedi rhwystro ni

> chefais wybod faint ond trwy bobl eraill – yr oedd y swm £3.00 gallaswn feddwl.

Ymddengys fod gan Ellis ormod o hunan-barch i dderbyn cardod. Daw yr un mor amlwg fod yr un ystyfnigrwydd yn perthyn i'w chwaer Nel hefyd gan y cawn hi, mewn llythyr at Owen, yn dweud ei bod bellach yn gweithio yng nghartref dyn lleol ac yn benderfynol o gynnal yr hen aelwyd. Y mae, er hynny, yn barod i dderbyn cyfraniad oddi wrth ei brodyr yn y wlad bell.

Mae gan Dwyryd lythyr oddi wrth Ellis at Owen ei frawd a ysgrifennwyd ar ddechrau mis Hydref 1929. Ynddo mae'n sôn am y cynhaeaf gartref:

> Nid ydym wedi cael dim llun o gynhaeaf – mae wedi bod yn oer a gwlyb iawn. Mae yma lawer o wair allan a dim tebyg bellach y daw i fewn. Nid ydyw yr ŷd wedi ei dorri ychwaith – ychydig iawn sydd wedi cael dipyn o honno ac mae y llall yn pydru wedi ei dorri ac yn methu cael tywydd i'w sychu. Mae hi heddiw yn ddiwrnod cyntaf o Hydref. Hefyd yr ydym yn cael cafodydd cenllysg mawr – mae hwn yn difetha y cnydau i gyd.

Cwyna hefyd am ddirywiad crefydd yn y fro. Atgoffir ni gan Dwyryd i ni ystyried y cyfnod rhwng y rhyfeloedd yn rhyw fath o oes euraid yn grefyddol. Ond yn amlwg, nid felly'r oedd hi. Dyma ddywed Ellis:

> Mae Trawsfynydd wedi mynd yn lle di-Gapel ofnadwy, nid ydyw yr ieuanc yn meddwl dim am y Capel. Credaf bydd yma le rhyfedd cyn hir. Mae rhieni wedi mynd nid ydynt yn meddwl am anfon y plant i'r Capel ond os bydd yna luniau byw neu ryw beth o'r fath bydd y lle yn llawn, neu ddawns – fe fydd yr Hall yn llawn y noson

honno hefyd. Fe ella y gweli ryw 20 yn y cyfarfod gweddi ar fore Sul allan o 300 o aelodau, rhyw 10–15 yn y seiat nos Fercher ... ac nid ydynt am ganu ychwaith, nid oedd yna hanner lond y llawr neithiwr mewn Cymanfa Ganu oedd gan y Methodistiaid, nis gwn faint fydd yno heno.

Cawn arwydd arall o'r newid yn natur arferion yr oes wrth iddo gyfeirio at ddamwain car. Pethau eithaf prin oedd ceir yn Nhrawsfynydd yn 1929, medd Dwyryd. Dywed y llythyr:

> Yr oedd Will Bach, Nantbudur yn dod adre o rywle ers tro yn ôl – wrth ymyl Berthu tarawodd moto car o, ac yn ei ben yr oedd wedi ei chael ac fe fuodd ddigon rhyfedd am bythefnos neu dair wythnos – yr oedd yn ffwndro braidd ac yn dweud pethe rhyfedd iawn yr adeg honno. Ond y mae yn gwella eto. Galli feddwl sut bethe oedd William yn ei ddweud am ei fod yn un mor ddigri o hyd.

Cawn nodyn diddorol arall yn ei lythyr at Owen. Wrth gydnabod y ffaith fod ei frawd wedi priodi, ceir sylw ganddo am eni a magu plant:

> Nis gwn pa beth i ddweud wrth dy wraig – wyrach bydd yn haws ysgrifennu ar ôl iddi hi anfon i ddechrau. Peth hanodd ydyw ysgrifennu at neb diarth ond da waeth, gobeithiaf y byddwch yn hapus ac y gellwch fod yn hir heb ddim plant er mwyn i chwi fod yn rhydd i fwynhau dipin ar yr hen fyd yma cyn dechre magu plant neu mi fydd yn rhaid i ti eu cludo hefo ti i bob man neu aros adre i warchod. Felly yr wyf finna yn dal heb yr un hyd yma. Fel yna y mae hi, does arnom ddim eisio eu gweld

a does arnom ddim eisio eu colli ar ôl eu cael. Gora po hiraf yntê.

Roedd yr Yncl Ellis wnes i ei adnabod yn ffoli ar gwmni plant. Ond hawdd deall ei sylw am gael plant, ddim ond i'w colli. Roedd ef ei hun wedi gweld colli brawd a thair chwaer, y pedwar o dan bedair oed. Gwelodd hefyd aml i lanc yn marw o'i gwmpas ar faes y gad ym Mametz, rhai yn cael eu malu a'u chwalu, a phob un yn fab i rywun.

Mae'n ddiddorol nodi mai Owen Williams a'i wraig Blodwen wnaeth fagu Elvira Austin, a ddaeth i Gymru yn y chwe degau i astudio yng Ngholeg Harlech a dod yn enwog fel tywysydd ar y rhaglen gwis *Siôn a Siân* am ddeunaw mis. Saethwyd mam Elvira, a oedd yn chwaer i Blodwen, yn ddamweiniol pan nad oedd y ferch ond dau ddiwrnod oed a bu farw o'i hanafiadau. Cred rhai i ddryll yr oedd yn ei symud danio'n ddamweiniol. Dywed eraill iddi fod yn golchi dillad ar lan yr afon pan drawyd hi gan fwled strae heliwr oedd yn saethu hwyaid. Codwyd Elvira fel merch i Owen a Blodwen. Mae hi bellach yn byw ym Maglan ger Aberafan.

Yn amlwg, mae gan Dwyryd Williams, yn llythyron a ffotograffau, drysorau teuluol sydd hefyd o arwyddocâd hanesyddol ehangach i Gymru a Phatagonia. Bodlonais yma ar ganolbwyntio fwy ar y cysylltiad ag Ellis, a sefyllfaoedd o ran y rhyfel a digwyddiadau gartref a effeithiai arno. Ac, wrth gwrs, arwyddocâd y penderfyniad i'w atal rhag ymfudo i Batagonia.

Cofio Yncl Ellis

I gyn-filwyr a brofodd wres y brwydrau, eu teuluoedd yw'r bobl olaf yn aml i glywed am eu hanturiaethau. Ni fydd gwir arwyr rhyfel byth yn clochdar eu profiadau. Ac mae hynny'n arbennig o wir am Ellis Williams. Cadarnheir hyn gan ei ddwy nith, Nansi a Dilys Lloyd, sydd ag atgofion lu am 'Yncl Ellis'. Meddai Nansi,

> Fe fuasech yn meddwl y byddai'n ail-fyw'r cyfnod. Ond doedd o byth yn dweud dim. Fyddwn i byth yn ei glywad o'n cwyno.

Cofia Dilys, a fagwyd gan Ellis a'i wraig Margaret yn dilyn marwolaeth ei mam, mai un o'r ychydig ddigwyddiadau yn ymwneud â'r rhyfel y cyfeiriodd ato erioed oedd hwnnw am golli cyfaill:

> Dwi'n cofio'n iawn fo'n dweud am ffrind iddo'n cael ei chwythu i fyny, a dwi'n cofio iddo ddweud fod mennydd Bobi Morus o'r Traws wedi dod i'w ddwylo fo yn y trensh. Fe soniai o dipyn am hynny. Ond fel arall, dim.

Cyfeiriwyd at y digwyddiad hwn yn y bennod flaenorol gan Dwyryd Williams. O ganlyniad iddo fod yn dyst i'r fath erchyllterau, hawdd deall ei dawedogrwydd parthed ei

Tua 1921 - O'r chwith i'r dde: Yncl Ellis yn was priodas, ei frawd John Henry (priodfab), sef taid Dwyryd Williams, Dorothy (Dol) Roberts (priodferch), sef nain Dwyryd, a chwaer Dol, Elizabeth Roberts. Llun o tua 1921.

brofiadau yn y rhyfel a pham mai ar bapur y dewisodd Ellis gofnodi ei atgofion. A fwriadodd i unrhyw un ddarllen yr atgofion hynny sy'n gwestiwn na ellir ei ateb. Tybed ai math ar gatharsis fu cofnodi'r hanesion? Yn sicr, nes i mi ddarllen y llyfr copi doeddwn i ddim yn gwybod chwarter stori Yncl Ellis.

Dwi ddim erioed yn cofio, pan o'n i'n blentyn bach, iddo ddweud dim byd am y rhyfel, am ei brofiadau. Dwi ddim yn meddwl iddo ddweud dim wrth neb. Roedd o'n ddarllenwr mawr. Roedd y tŷ'n llawn o lyfrau Cymraeg. Ac ymysg y llyfrau yma ym Maes Tegfryn yng nghanol y pentre roedd copi bwc, rhyw fath o ddyddiadur. Fi wnaeth etifeddu ei holl lyfrau ond wnes i ddim clirio'r tŷ nes marw Anti Maggie, ei weddw, a fu byw am rai blynyddoedd ar ei ôl. Rwy'n cofio agor y dudalen gyntaf a darllen. Roedd o'n edrych yn ddyddiadur cyffredin iawn. Ar y dudalen gyntaf roedd o'n sôn am ei fywyd fel bachgen ifanc yn y Traws, yna yn was yn mynd o fferm i fferm. A doedd o ddim yn edrych mor ddiddorol â hynny. Rwy'n siŵr fy mod i wedi ei adael o bryd hynny a mynd yn ôl i'w ddarllen o. Wedi ei ddarllen o drwyddo, dyma sylweddoli nad oeddwn i'n nabod y dyn yma o gwbl, er mor agos o'n i ato fo. Na, doeddwn i ddim wedi'i nabod o gwbl.

Cofnod coeth a manwl yn y 'copybook' gwreiddiol

Pan wnes i ei ddarllen o ddifrif y tro cyntaf fe fu'n rhaid i mi ei roi o'r neilltu yn awr ac yn y man gan fy mod i dan gymaint o deimlad. Roeddwn i yn fy nagrau. Fe dreuliais i nosweithiau lawer yn ei ddarllen gan na fedrwn i ond darllen tair neu bedair tudalen ar y tro.

Bu farw Ellis pan oeddwn i tuag un ar ddeg oed. Mae fy atgofion cynnar o Yncl Ellis yn mynd yn ôl i flynyddoedd plentyndod, pan oeddwn i'n bump neu chwech oed.

Cofiaf eistedd ar ei lin, ac atgof plentyn o gydio yn ei wynab o ac yn meddwl – dydi wynab Yncl Ellis ddim cweit 'run fath â wynab pobl erill dwi'n nabod. A chyffwrdd â'i

Fi'n blentyn gydag Yncl Ellis yn y Rhyl

drwyn o. Ie, ei drwyn o oedd yn wahanol. Yn wir, fel y Frenhines flynyddoedd yn gynharach yn yr ysbyty yn Boulogne, fe fyddwn i'n chwarae â'i drwyn o. Ac yntau'n eistedd yno'n dawal a heb geisio symud fy llaw. Finna ddim callach. Yn bump neu chwech oed heb wybod pam oedd ei wynab o felly. A ddim yn gallu gofyn chwaith yn yr oed yna.

Does dim dyddiad i nodi pryd yr aeth Ellis ati i gofnodi ei atgofion. Ond rwy bron yn saff iddo ysgrifennu'r cyfan pan oedd yn gwella o lawdriniaeth a olygodd dorri ei goes yn Ysbyty Lerpwl. Yn wir, mae llythyr cais Margaret am bensiwn gweddw yn cadarnhau hynny. Madredd ynghyd â lleithder fu'n gyfrifol am iddo golli ei goes. Tybir i hynny ddigwydd yn dilyn effaith nwy yn y ffosydd yn 1916. Dyma'r rhesymau a ddefnyddiwyd wrth geisio hawlio pensiwn rhyfel i Margaret, fel y nodwyd eisoes. Ond yn gwbl nodweddiadol ohono, does dim sôn ganddo am beryglon nwy yn y ffosydd. Dim ond unwaith y cawn ef yn cyfeirio at nwy gwenwynig o gwbl. Mae'r agwedd ddiymhongar hon a'i duedd i danddisgrifio peryglon a phrofiadau yn nodweddu cymeriad Ellis drwyddi draw.

Fe dreuliodd gryn wythnosau yn yr ysbyty. Rwy'n cofio mynd yno i'w weld. Pam wnaeth o fynd ati i ysgrifennu? Rwy wedi gofyn y cwestiwn yna droeon gan gredu mai iddo fo ei hun y gwnaeth o hynny.

Gan fod fy nau daid wedi hen farw, fe wnawn i ystyried Ellis fel taid. Fo wnaeth fy nysgu i sgota yn afon Prysor gan ddefnyddio pry genwair neu bluen. Fo wnaeth ddysgu i mi enwau pyllau'r afon fel Llyn Ceffyl Du a Llyn Trobwll. Roedd o'n ddyn mawr am natur. Fe fyddai'n fy ngherddded i allan o'r pentre i'r tiroedd o gwmpas. Un dydd fe ddiflannodd y ddau ohonon ni am ddiwrnod cyfan, a Mam yn poeni wrth iddi ddechrau twyllu.

Pan na fyddai'n crwydro treuliai ei amser yn y sied fach ddu yn yr ardd. Fe fyddwn i'n eistedd yno gydag o am oriau lawer. Roedd ganddo fo set o offer saer, llond bocs o gynion. Fe fydda'n cerfio cryn dipyn. Mae gen i gof am fath ar blac a luniodd gyda'r ddihareb 'Cadw dy afraid erbyn dy

Mwynhau ar lan y môr gydag Yncl Ellis ac Anti Maggie

Fy chwaer Carolyn gydag Yncl Ellis yn y Rhyl

raid' wedi ei cherfio iddo. Yno yn y sied oedd o'n cael ei dawelwch meddwl a'i lonyddwch. A chwarae draffts wedyn. Fe fyddai bwrdd a darnau draffts ar fwrdd y gegin bob amser. Fe fyddwn i'n chwarae draffts gydag o am oriau.

Yn ôl Keith O'Brien, hanesydd sy'n gyfrifol am Ganolfan Treftadaeth Trawsfynydd, fe allai fod yr esboniad i'r cwestiwn pam y gwnaeth Ellis ddewis cofnodi ei atgofion ar bapur yn hytrach na sgwrsio am ei brofiadau yn ymwneud â'i amharodrwydd i ymddangos yn arwr:

> Falla'i fod o, drwy bapur a phensel, yn medru dweud ei deimladau'n fwy rhwydd na fydda fo o fedru dweud wyneb yn wyneb wrth berson arall. Ac mae hynny, wrth gwrs, yn drueni mewn un ystyr. Ond mae'n dda iawn ei fod o wedi nodi'r pethau yma i lawr neu fel arall fyddan ni ddim callach o gwbl am be oedd wedi digwydd iddo.

Mae'n cynnig esboniad hefyd i'r cwestiwn pam y gwnaeth llanciau fel Ellis listio'n wirfoddol:

> Roedd propaganda'r wlad, wrth gwrs, yn dweud bod

hyn yn beth da i'w wneud ac y byddan nhw'n arwyr, yn amddiffyn eu gwlad ac ati. Mae o'n naïfrwydd ac yn ddiniweidrwydd. Ac wrth gwrs, byddai unrhyw gyfle i fachgen ifanc gael mynd i ffwrdd a bod mewn lifrai smart a chael handlo gwn a dod yn ôl yn arwr y temtio. Ew! O'n nhw'n meddwl eu bod nhw'n mynd i fyw am byth. Doedd y ffaith y medren nhw gael eu lladd neu eu hanafu ddim yn croesi eu meddwl. Dyna i chi oedd yr abwyd mawr, er doedd ganddyn nhw ddim syniad beth oedd o'u blaen. Mi roeddan nhw'n dysgu saethu bob dydd ac yn mwynhau'r bywyd newydd ymhell o adra.

Ellis a Margaret (Anti Maggie) ymhell o uffern Mametz

Fel fi, cof plentyn sydd gan Keith o Ellis:

> Roedd yna rhyw dueddiad ynom, pan oedden ni'n blant, i feddwl bod yna rywbeth yn anghyffredin amdano fo oherwydd yr anafiadau ar ei wyneb. Rhyw edrych o hirbell arno fo. Methu deall beth oedd wedi digwydd iddo fo. Oedd o wedi ei eni fel'na? Oedd o wedi bod mewn damwain? A methu deall be oedd wedi digwydd iddo fo.

Ellis a Margaret – heddwch ar ôl uffern Mametz

Tynnodd Keith O'Brien sylw at y newid byd llwyr a brofodd Ellis:

> Newid byd yn gyfan gwbl o gefn gwlad Cymru lle byddai'n watshyd ar ôl rhyw chydig o ddefaid a godro rhyw fuwch neu ddwy ond wedyn yn y mwg a'r dŵr. Saethu. Tanio. Ac, wrth gwrs, y peth mwyaf dychrynllyd oedd y magnelau, neu'r artileri. Nid yn unig eu bod nhw yn eu hanfod yn malu a chwalu, y petha mwyaf dinistriol oedd yn bod. Ond yr effaith seicolegol hefyd. Y fagnel yn mynd trwy'r awyr a neb yn sicr ble byddai'n glanio. Yr un olaf wedi glanio wrth gyfaill i chi, ei ben o, hwyrach, wedi ei chwythu i ffwrdd a'i gorff o'n dal i redeg. Profiadau erchyll, y rhai mwyaf erchyll a welwyd erioed.

Teimlaf i ddadrithiad Ellis gael ei amlygu pan anafwyd ef i ddechrau yn gynnar yn y frwydr – anaf ar ei dalcen, a hwnnw'n ddigon drwg iddo orfod derbyn triniaeth. Ceisiodd Ellis, fel y cyfeddyf yn ei gofnodion, wneud i'r clwyf ymddangos yn waeth nag yr oedd. Roedd Ellis yn dechrau gweld drwy'r twyll.

Mae yna ddarnau yn y dyddiadur lle mae rhywun yn cael yr argraff ei fod o wedi cael digon, yn arbennig y digwyddiad a nodwyd uchod pan geisiodd ei anafu ei hun er mwyn cael mynd yn ôl i 'Blighty' neu Brydain. Doedd hynny ddim wedi gweithio a gorfu iddo fynd yn ôl i'r ffosydd a chael ei glwyfo wedyn. A dyna oedd y busnas yn y Rhyfel Mawr, hanesion am gael tot o rỳm cyn mynd dros y top. A dyma oedd eu bywyd nhw. Pobl yn marw o'u cwmpas nhw ym mhobman. A rhyw elfen o lwc os na fyddech chi'n dal y fwled oedd i fod i'ch lladd.

Ystyrid y Rhyfel Mawr, medd Keith O'Brien, fel rhyfel modern, a phob milwr yn gwneud yr hyn y meddyliai y dylid ei wneud:

> Dyma beth roedd ei wlad wedi gofyn iddo'i wneud. Dyna roedd ei wlad wedi ei ddweud, sef ei fod o i gael ei wobrwyo'n hael am amddiffyn y bywyd rhydd oedd gynnon ni, ac yn y blaen. A nhwythau ddim yn deall na gwybod dim byd gwell.

Byddai disgwyl i rywun a welodd gymaint o erchyllterau a dioddef y fath anafiadau fod wedi chwerwi a chaledu. Ond na. Cymeriad addfwyn iawn oedd o, ac o edrych yn ôl, ac o ddarllen ei hanes o mae'n anodd meddwl ei fod o mor addfwyn, gymaint a ddioddefodd. Roedd o'n ddyn tyner, pawb yn ei hoffi. Doedd gan neb air drwg i'w ddweud amdano. Roedd ganddo dymer; fe wnâi o gyfaddef hynny. Ac roedd o'n ddireidus. Un braidd yn syber oedd Anti Maggie, dynas capel. Ac Ellis yn sleifio i fyny i dŷ Mam weithiau lle câi lowcio potelaid o Ginis.

Mae gen i atgof clir ohono fel un oedd yn mwynhau gwaith coed. Yn y sied fach honno yng ngwaelod yr ardd y bydda fo. Honno oedd ei gornel fach o heddwch. Wn i ddim a oedd hyn, heb fynd yn rhy ddwfn, yn rhyw fath o therapi. Roedd o'n treulio oriau yno'n cerfio. A thybed ai dyna, hwyrach, oedd un o'i ffyrdd oedd yn ei alluogi i ymdopi â'r holl betha oedd wedi digwydd iddo?

Gallasech feddwl hefyd i Ellis, wedi ei holl brofiadau,

Ellis a Margaret gyda chwpwl arall na cheir eu henwau

ddod i gasáu Almaenwyr. Ond na, i'r gwrthwyneb meddai Dilys Lloyd:

Rwy'n ei gofio fo'n dweud – roedd o'n anymwybodol yn dilyn yr anaf – fod yna Gymry wedi pasio gan ddweud, 'Gadewch iddo fo farw.' Ond bod Jyrmans wedi dweud, 'He's still alive. We'll save him.' Ac oherwydd hynny roedd ganddo fo barch mawr i'r Jyrmans. Fe fyddai'n eu saliwtio beth bynnag fyddai'n digwydd, ar y teledu neu rywbeth.

Chwaraeodd lwc ran fawr yn ei arbediad. Fe fuodd yn gorwedd am oriau yn y mwd, pobl yn pasio heibio iddo fo. Roedd o'n clywed y lleisiau: 'He's dead. He'll never make it.' Dydi o ddim yn swnio i fi iddo ddod 'nôl o'r rhyfel yn heddychwr. Roedd o'n derbyn y peth. Fel'na oedd petha. Roedd o'n filwr. Roedd hyn yn digwydd. Er ei fod o, hwyrach, yn cuddio'r erchyllterau yma i gyd.

Pan ddaeth adref am y tro cyntaf wedi'r triniaethau, beth tybed, oedd yn mynd drwy ei feddwl? Hen ffrindiau'n ei weld am y tro cyntaf ar ei newydd wedd. Beth fyddai ei ymateb ef? Beth fyddai eu hymateb hwy? Meddai Keith O'Brien:

Anti Maggie Anti Nel, Mrs Morris, gwraig y gweinidog, y Parchedig D.T. Morris, Yncl Tom ac Yncl Ellis

Beth oedden nhw'n ei weld yn y person yma, a oedd yn hollol wahanol, yn llythrennol? Mae'n siŵr fod yna effeithiau seicolegol hefyd. Yn weledol, mae'n amlwg, nid dyma'r person ddaru adael y Traws. Ac mae'n rhaid bod hynny ar ei feddwl o. Ond wrth gwrs, roedd o fel unrhyw filwyr eraill a fyddai'n falch iawn o ddod adref at eu teuluoedd a'u ffrindiau a gadael y rhyfel erchyll.

Yn allanol, o leiaf, fe setlodd yn ôl i fywyd y pentref, er na allaf ddirnad sut y llwyddodd i wneud hynny wedi'r fath brofiadau trawmatig:

Fe aeth yn ôl i weithio ddwy neu dair blynedd ar ôl dod adref. Gweithio ar y rheilffordd nes oedd o'n ddyn cymharol hen. Roedd Ellis yn ddyn cymdeithasol a phoblogaidd lawn. Ei ffrind agosaf oedd Idris Wyn, oedd yn cadw siop ar draws y ffordd. Hyd yn oed ar ôl iddo golli

*Tîm Prysor Rovers 1920–21 ac Ellis ar y dde yn y rhes ganol.
Yn eistedd o flaen y gweinidog mae John Henry.*

un o'i goesau, byddai'n mynychu gemau pêl-droed lleol gydag Idris Wyn.

Roedd o'n gwirioni ar ffwtbol ac wedi chwarae i'r tîm lleol. Mae yna lun ohono efo'r tîm. O ystyried difrifoldeb yr anafiadau ar ei wyneb roedd o'n ddyn dewr iawn. Ond roedd o'n gadarn ac yn ffit. Wedyn, ar ôl colli ei goes fe fyddai'n cefnogi timau fel Porthmadog, Caernarfon a Chricieth ac yn mynd i ryw gêm neu'i gilydd bob pnawn Sadwrn, Idris Wyn yn dreifio. Rwy'n cofio iddo fo unwaith roi pâr o'i hen sgidiau ffwtbol i fi. Roeddan nhw'n hen betha mawr gyda styds lledr a hoelion miniog yn eu cynnal. Yn addas iawn, mewn gêm bêl-droed y cymerwyd o'n wael yn ei salwch olaf.

Golygfa gyffredin fyddai gweld Ellis yn crwydro'r pentre ar ffyn baglau wedi'r driniaeth a olygodd dorri un o'i goesau. Gwrthodai ddefnyddio coes brosthetig. Yn hytrach, plygai goes ei drowsus am i fyny a'i dal yn ei lle â sêffti pin.

Pan oedd yn gweithio ar y rheilffordd câi ddod adref â

Ellis a Margaret yng ngardd gefn eu cartref, Maes Tegfryn yn Nhrawsfynydd ddechrau'r 60au

slîpers lein. Byddai'n eu torri'n goed tân a minnau wedyn yn eu gwerthu ar hyd y pentref. Gweithiai ar y rhan galetaf o'r lein, rhwng y Bala a'r Traws. Yn y gaeaf byddai eira'n cau'r lein byth a hefyd. Byddai wrth ei fodd yn dangos rhyfeddodau'r injan stêm i mi.

Fel bachgen a godwyd ddiwedd y pum degau a dechrau'r chwe degau, ni welodd Keith O'Brien y Rhyfel Byd Cyntaf na'r Ail. Ond fe welodd eu holion dychrynllyd ar wynebau cyn-filwyr:

> Dynion syml, cyffredin wedi mynd drwyddi yn eu bywydau ifanc, llawer iawn wedi methu dod 'nôl i'w cartrefi. Mae'n hollbwysig ein bod ni'n cofio amdanyn nhw.

Ac fe gafwyd, mae'n rhaid, adegau lletchwith. Cofiai Dilys un ohonynt:

> Rwy'n cofio mynd gydag o i Landudno. Hen Ostin 7 oedd gynno fo ac yntau am fynd i'r toilet cyn mynd adref. Ac fel yr oedd o'n mynd, roedd yna fam a bachgen bach yn cydio yn ei llaw. A mi drodd hwnnw rownd ac

mi ddeudodd, 'Look, Mam, he's got a face like a monkey!' Dyna'r unig dro welais i o wedi torri ei galon yn llwyr. Fe gafodd ei frifo'r diwrnod hwnnw.

Dyma beth yw hanfod y dyddiadur i mi. Hanes, cofnod dyn cyffredin. Wnâi Yncl Ellis byth fynd yn ddyn enwog. Doedd arno fo ddim awydd bod yn enwog. Ond roedd o'n arwr i mi. Hyd yn oed heb ei hanesion rhyfel fe fyddai o'n arwr i mi. Dwi ddim yn siŵr a fydda fo'n hapus heddiw petai o'n gwybod fod yr hanes yma'n cael ei ddeud. Ond mae o mor bwysig gan fod ei hanes o'n cynrychioli miloedd ar filoedd. Dydi'r rhai a ddaeth adre gyda chlwyfau ofnadwy erioed wedi dweud eu stori. Ac eto, ar ôl i Yncl farw, mae ei stori fo rŵan yn stori fyw iawn.

Medalau a bathodynnau milwrol y Preifat Ellis Williams

Yn ôl i Mametz

Cyhuddiad o lwfrdra yw'r sen fwyaf y gall milwr ei ddioddef. Ond dyna'r cyhuddiad y bu'n rhaid i ddynion y 38ain fyw yn ei gysgod am flynyddoedd. Diolch i ymchwil a chwilota gan haneswyr dygn, glanhawyd y staen yn raddol. Yn wir, cymerodd 71 mlynedd cyn i wrhydri dynion y 38ain Adran gael ei gydnabod yn weledol gyda chysegru cofadail ar safle'r frwydr yn 1987. Ar gyfer y fenter, a symbylwyd gan Gangen De Cymru o Gymdeithas y Ffrynt Gorllewinol, roedd gofyn codi £20,000 drwy gyfraniadau gwirfoddol.

Comisiynwyd y cerflunydd David Petersen o Sanclêr i gyflawni'r gwaith, a hynny ar ffurf Draig Goch fetel ar lechfaen. Yn hytrach na gogoneddu rhyfel, dewisodd Petersen adlewyrchu dewrder y dynion ochr yn ochr ag oferedd rhyfel. Lluniodd y ddraig yn troi ei phen i syllu ar y coed gan ddal yn un o'i phawennau ddarn o weiren bigog wedi'i rwygo i ffwrdd. Arwyddocâd y symbol hwnnw oedd nodi diwedd y rhyfel.

Yn bedestal i'r ddraig ddur – methwyd â chodi digon o arian i greu un mewn efydd – lluniwyd bloc o garreg o Fforest y Ddena. Eto golygodd cyfyngiadau ariannol na ellid defnyddio llechfaen Cymreig. Cerfiwyd ar y garreg fathodynnau'r tair catrawd, Cyffinwyr De Cymru, y Gatrawd Gymreig a'r Ffiwsilwyr Cymreig, ynghyd â'r geiriau:

Parchwn eu hymdrechion, parhaed ein hatgofion

Awdur y geiriau, er na chydnabyddir hynny, yw Avril Jones, gynt o'r Dderwen-gam, Ceredigion ac sy'n awr yn byw yng Nghaerdydd. Roedd hi'n bresennol ar ddiwrnod y dadorchuddio.

Ymgasglodd nifer o'r goroeswyr yno i osod plethdorchau ac i ymsythu i seiniau lleddf dau fiwglwr yn chwythu nodau'r Caniad Olaf. Yno hefyd roedd Band Bataliwn Gyntaf Catrawd Frenhinol Cymru ynghyd â Taffy'r afr, y masgot catrodol. Arweiniwyd y canu gan Gôr Meibion Cilgeti. Yn absennol roedd y rhai a laddwyd yn y coed oddi amgylch, rhai mewn mynwentydd cyfagos, eraill yn dal i orwedd lle malwyd hwy. A'r rheiny, fel Ellis Williams, a fu farw o effeithiau'r brwydro neu o henaint dros gyfnod y 71 mlynedd a aethai heibio.

Heddiw mae Coed Mametz yn dawel, heb fawr ddim ond trydar adar a sŵn y gwynt i'w glywed yn chwythu rhwng y brigau a'r canghennau. Sŵn tebyg a glywodd Ellis yng nghoed y Glasfryn ers talwm.

Mynwent yw Coed Mametz. Tawelwch a geir hefyd ym Mynwent Salem yn y Traws lle gorwedd gŵr a aeth i uffern ac a ddychwelodd i ddweud yr hanes. Dim ond iddo ef ei hun y bwriadodd gofnodi'r hanes hwnnw. Ond mae ei stori'n haeddu sylw ehangach.

Cawsoch bellach y fraint o'i darllen.

Atodiad

Yn *Y Goleuad* (7/8/1918) cyhoeddwyd cerdd, 'Brwydr y Coed', gan un yn galw'i hun yn 'Un o'r Ffosydd'. Ceir lle cryf i gredu mai disgrifiad o ddiwedd Brwydr Mametz yw'r gerdd gan y bardd anhysbys:

Daeth atom i'r ffosydd frysneges Maeslywydd
I hwylio ein harfau ar frys – yn ddi-oed;
Ac ebr y gorchymyn, 'Rhaid symud y gelyn,
A'i ymlyd o'i loches draw acw'n y coed.'

Y nos a enciliodd, a'r bore a wawriodd,
Y bore rhyfeddaf a welsom erioed;
A ni yn y ffosydd yn disgwyl am rybudd,
Sef gair i ymosod a chymryd y coed.

'Chwi fechgyn o Gymru,' medd swyddog y gadlu,
'Rhaid heddiw ymdrechu yn fwy nag erioed;
Aed pob un i weddi ar Dduw ei rieni,
Rhaid ymladd hyd farw – rhaid cymryd y coed.'

Ar hyn dyma'r bechgyn yn taro hen emyn,
A'r alaw Gymreigaidd mor bêr ag erioed,
A'r canu rhyfeddaf, ie'r canu dwyfolaf
Oedd canu yr emyn cyn cymryd y coed.

Ar ôl brwydro gwaedlyd, a'r ymladd dychrynllyd,
Enillwyd y frwydr galetaf erioed;
Ond rhwygwyd ein rhengoedd, a llanwyd â lluoedd
Y beddau dienw wrth odre y coed.